Catalogue raisonné
de la collection juive
du musée de Cluny

Victor Klagsbald

Catalogue raisonné de la collection juive du musée de Cluny

Paris
Ministère de la Culture
Éditions de la Réunion des musées nationaux
1981

En couverture :
Ketouba (contrat de mariage), parchemin
Italie, XVIIIe siècle (cat. 56)

ISBN 2.7118.0187.X

© Éditions de la Réunion des musées nationaux, 1981
10, rue de l'Abbaye, 75006 Paris

Avant-propos

Quand je naquis vingt ans après sa mort, Isaac Strauss était déjà passé dans la légende familiale. Pourtant, mon père, né en 1881, se rappelait toujours les visites de sa petite enfance, chaussée d'Antin, et qu'à l'occasion d'une d'elles Ambroise Thomas, présent, le fit asseoir sur ses genoux. Mais c'est surtout par les propos de ma grand-mère paternelle, la plus jeune des cinq filles d'Isaac Strauss (auxquelles il interdisait la couture et la broderie, pour ne rien dérober à la musique) que j'ai un peu connu ce presque demi-siècle déjà baigné d'une aura mythique, durant lequel une modeste famille alsacienne fraya avec des personnages illustres par le talent musical ou littéraire, ou par la place qu'ils tinrent dans l'histoire contemporaine en France et à l'étranger.

Ma grand-mère aimait raconter qu'âgée de sept ans je crois, baisée au front par Rossini, elle avait fait le serment de ne jamais se laver le visage pour conserver la trace des lèvres divines intacte. En même temps que de Berlioz (qui monta avec Strauss diverses entreprises dont on peut lire le détail dans ses *Mémoires*), elle se souvenait de Chabrier à ses débuts, jouant impétueusement ses premières œuvres dans le salon de mon bisaïeul, et surnommé par les demoiselles de la maison « Tape-fort », tant il malmenait le piano.

Ma grand-mère évoquait la mine amusée de Napoléon III au sortir de la Villa Strauss (qui existe encore, et où descendit l'empereur lors de ses premiers séjours à Vichy), levant les yeux et reconnaissant le lieu inavouable où, avec ses sœurs, elle s'était enfermée pour le voir monter en calèche. La chronique scandaleuse de la famille prête, non sans complaisance, à l'une d'elles une liaison avec certain dignitaire du Second Empire.

En plus des bals de la cour, Isaac Strauss dirigea pendant dix-sept ans ceux de l'Opéra. Il y cassait régulièrement plusieurs archets, et on pouvait, disait-on, savoir l'heure d'après la position de sa cravate qui, pendant la nuit, faisait trois fois le tour de son cou. Offenbach appréciait cette fougue et s'en remettait volontiers à lui pour ses quadrilles. Aussi les airs de la *Belle Hélène*, d'*Orphée aux enfers*, de la *Grande-Duchesse de Gerolstein* accompagnèrent toute mon enfance, sans préjudice, je m'empresse de le dire, de la ferveur wagnérienne de mon père, déconcertante pour ma grand-mère : aux premières représentations de *Tannhäuser* et bien qu'Isaac Strauss fût un familier de la princesse Mathilde, ce qui eût dû mieux la disposer, elle avouait n'avoir perçu dans l'ouverture que le bruit désordonné d'une eau entrant en ébullition.

Chez les deux filles de Strauss encore vivantes de mon temps, chez les enfants des autres, je voyais quelques tableaux, meubles et objets anciens, vestiges de sa collection presque tous disparus depuis, du fait des spoliations allemandes. En même temps que l'amour de la musique, j'acquis dans ces appartements vieillots mes premières connaissances en histoire de l'art et un goût dégénéré pour l'antiquaille : double lien qui m'unit à cet ancêtre tout à la fois compositeur, chef d'orchestre, et collectionneur acharné en ces temps révolus où des trésors dédaignés, même des brocanteurs, n'attendaient pour leur réhabilitation que le coup d'œil d'un Cousin Pons.

Le souvenir d'Isaac Strauss ressoude ainsi pour moi les maillons d'une chaîne. A travers ceux que j'ai connus et qui le connurent lui, dont la mère échappa de peu, paraît-il, mais je ne sais pourquoi, à la guillotine, je me sens appartenir à d'autres siècles, moins par le legs de douteux chromosomes responsables de passions communes, que par l'intimité maintenue dès l'enfance avec des objets sensibles de nature musicale, plastique ou décorative, au nombre desquels figurent ceux, à nouveau réunis par cette exposition, que jadis on m'emmenait voir dans la salle que le musée de Cluny leur consacrait de façon permanente, et où le nom d'Isaac Strauss, inscrit au fronton de la porte, m'imprégnait du sentiment que non seulement par leur origine première, mais par leur association à tout mon passé familial, ils étaient un peu une partie de moi-même, ou mieux, qu'en plus d'un sens, je faisais partie d'eux.

Claude Lévi-Strauss
de l'Académie française

Les collections d'objets de culte juif du Musée de Cluny

La création d'un musée obéit à un certain nombre d'impératifs qui définissent le destin de cette institution, mais auxquels elle peut tout aussi bien échapper. Cette liberté lui donne une destinée qui n'est pas toujours contenue dans les prémices. Tel semble être le destin du musée des Thermes et de l'hôtel de Cluny dont au départ rien ne laissait prévoir qu'il deviendrait rapidement un musée pluridisciplinaire qui a pris depuis la dernière guerre mondiale le chemin du Moyen Age. A l'origine, en 1843, l'État se rendait acquéreur de la collection d'un amateur qui avait loué quelques pièces dans un des plus beaux bâtiments civils de la fin du Moyen Age : le collectionneur s'appelait Alexandre du Sommerard, mort en 1842, l'hôtel était celui des abbés de Cluny. A l'arrivée, c'est l'éclatement avec une contribution importante apportée au nouveau musée de Sculptures comparées, aujourd'hui musée des Monuments français. Le musée de la Renaissance installé au château d'Écouen qui lui doit tout. L'annonce prochaine de la création d'un Musée juif.

Entre temps la liaison étroite de deux bâtiments et de deux collections : les thermes gallo-romains et l'hôtel du XVe siècle; les collections lapidaires de la ville de Paris, cédées à l'État avec le *Frigidarium* et celles de du Sommerard. Cette diversité originelle explique, si l'on y ajoute la présence à la tête de l'institution d'une puissante personnalité, Edmond du Sommerard, fils du collectionneur devenu directeur, l'étonnante progression des collections. En 1844, à l'ouverture du Musée, 1 434 objets sont portés sur l'inventaire, en 1889, à la mort d'Edmond, ce chiffre s'élève à 10 351. Le statut particulier du Musée n'est évidemment pas étranger à cet enrichissement : il dépendait en effet de la Commission des Monuments historiques qui se montra d'une rare générosité. Cette situation devait se prolonger jusqu'en 1907, date à laquelle le Musée fut englobé dans la Direction des Musées de France. C'est au cours de cette période qu'il reçut une importante donation qui devait en marquer l'histoire. Sous la direction d'Alfred Darcel en 1890, la baronne Nathaniel de Rothschild acheta pour la céder à Cluny la collection d'objets juifs réunis par Isaac Strauss.

Les collections d'Isaac Strauss

Isaac Strauss était loin d'être un inconnu, bien que son heure de gloire, sous le second Empire, ne se soit pas prolongée au-delà. Il était originaire de Strasbourg où il naquit en 1806 et qu'il quitta en 1827 pour s'installer à Paris (1). Il y perfectionna ses connaissances musicales avant de donner des concerts en duo avec son frère. La fortune lui sourit le jour où le roi Louis-Philippe lui confia la direction des bals de la cour. Le prince-président lui

Portrait d'Isaac Strauss, par Alix Joas, daté de 1856 (collection du Castel Franc appartenant à la Compagnie fermière de Vichy).

conserva cette charge. Le Second Empire lui assura un succès que son homonymie avec les musiciens viennois ne fit qu'amplifier. Il eut le rare mérite, avec quelques autres collègues, de jouer en France la musique allemande et d'en répandre le goût, sans oublier pour autant sa carrière. En 1844, il est nommé directeur de la musique de l'établissement thermal de Vichy; en 1852, chef d'orchestre des bals de la cour et des bals masqués de l'Opéra qui lui valurent la célébrité. Il se lia avec l'empereur qui, abandonnant les eaux de Plombières pour celles de Vichy, logea dans la villa du musicien au cours des saisons 1861 et 1862. Strauss n'était pas seulement le chef qui faisait danser le Tout-Paris, mais aussi un compositeur prolixe à qui l'on doit plus de 400 morceaux de danse, dont certains ont été fort célèbres. Il puisait son inspiration dans l'œuvre de grands contemporains : Offenbach, Verdi ou autres qu'il édita sous le nom de Strauss de Paris ou de Vichy afin de lever toute ambiguïté. En janvier 1870, il démissionna de ses charges officielles pour se retirer et mener une vie toute familiale. Il devait mourir en 1888, au 44 rue de la Chaussée-d'Antin où il résidait depuis quelque temps déjà.

Maison de Vichy d'Isaac Strauss dite « Habitation impériale » (B.N. Est. T. 157, fol. 3).

Strauss ne fut pas seulement l'homme du monde dont la compagnie était recherchée, mais aussi un collectionneur. Sa villa de Vichy était célèbre par ses meubles, les objets et les peintures qu'il y avait disposés. Le catalogue de la vente qui eut lieu le 7 février 1890, à l'hôtel Drouot, par le ministère de Maître Escribe et celui de Maître Thibaut comportait soixante-dix-neuf numéros auxquels s'ajoutaient d'autres objets non catalogués. La plupart appartenaient au XVIII⁰ siècle et échappent à l'essai d'une identification à l'exception de deux superbes groupes de Houdon signés et datés de 1778 et de 1780 : le *Baiser donné* et le *Baiser rendu*. Le premier se trouve conservé dans une célèbre collection particulière de New York. Le second n'a pas été retrouvé depuis lors. Cet amateur éclairé n'hésitait pas à conseiller ses amis et à leur signaler des pièces devenues aujourd'hui célèbres. Les Rothschild lui doivent ainsi quelques acquisitions.

C'est vraisemblablement au cours des voyages incessants qu'il fit à travers l'Europe et surtout l'Allemagne qu'il réunit les objets de culte juif aujourd'hui au musée de Cluny. Il accepta d'en exposer quatre-vingt-deux à l'Exposition universelle de 1878, au Palais du Trocadéro. Un catalogue préfacé par Georges Stenne et illustré de gravures d'après des dessins d'Alfred Gerardin, révéla le prodigieux intérêt de la collection que Strauss continua à amplifier jusqu'à sa mort.

Elle se montait à cette date à 149 numéros. On ignore actuellement tout de cette quête, l'époque à laquelle il se mit à collectionner, les lieux de découverte, la valeur des objets et surtout les raisons qui l'incitèrent à cette entreprise. L'intérêt qu'il leur portait s'explique de toute évidence par ses origines. Il appartenait à une famille juive de Strasbourg très attachée aux pratiques religieuses et dont l'un des ancêtres, à la fin du XVIII⁰ siècle, était un rabbin célèbre, Rabbi Raphaël. Strauss, même si nous n'en avons aucun témoignage, devait être pratiquant.

L'époque à laquelle il réunit cette collection n'est pas indifférente à l'histoire de la communauté juive française. C'est le temps de la croyance à « l'assimilation » que la naissance de la République ne fit que renforcer (2). L'affaire Dreyfus n'avait pas encore éclaté (1894) bien que déjà les nuages s'amoncelaient à l'horizon. Mais en 1888, à la mort de Strauss, ils n'étaient pas encore visibles si ce n'est de quelques esprits clairvoyants. Aussi parut-il inadmissible que les objets de culte juif suivent le sort de

Portrait de la baronne
Nathaniel de Rothschild,
par Ary Scheffer,
(appartenant
au château Lafite-Rothschild).

l'ensemble de la collection et soient vendus aux enchères. Ici encore les renseignements nous font cruellement défaut pour saisir l'importance du sursaut de la communauté juive qui aboutit à la donation à l'État. Le Grand Rabbin et le Consistoire songèrent d'abord à faire appel à la générosité de la Communauté pour s'en porter acquéreur et en faire don. Quoi qu'il en soit, l'expert, Arthur Bloche, avait déjà décidé de partager la collection en deux lots pour réserver le sort des objets de culte. Il signala l'intérêt et l'importance de la part mise en réserve, à la Direction des Beaux-Arts qui délégua deux conservateurs, l'un du Louvre, l'autre de Cluny, chez les héritiers afin de dresser un rapport. Les tractations furent résolues grâce à la baronne Nathaniel de Rothschild (3) qui chargea un intermédiaire, M. Charles Mannheim, de se rendre acquéreur des 149 pièces à condition que l'État accepte la donation. La transaction avec les héritiers se fit pour la somme de trente mille francs. Le 3 novembre 1890, Charles Mannheim se rendit au musée de Cluny pour remettre les objets au nom de la baronne Nathaniel de Rothschild, au directeur du Musée, Alfred Darcel. Entre temps, le 22 janvier 1890, le directeur des Beaux-Arts avait décidé d'accepter la donation et de la déposer à Cluny. Le 22 décembre, la salle qui prit le nom de salle Nathaniel de Rothschild et qui était située au premier étage de l'aile occidentale, était inaugurée.

Tous les objets de la collection Strauss n'avaient cependant pas été donnés à l'État. La baronne avait conservé par devers elle une boîte en vermeil et une autre en argent, qui portaient les numéros 38 et 39 du catalogue de 1878. Quant au baron Henri, il conserva deux boîtes à parfums d'argent (nos 16 et 114). Un gobelet d'argent (no 43), un objet indéterminé (no 99), un tronc d'argent (no 130), deux chandeliers à huit branches (nos 8 et 12), une cassolette (no 48) et un tass (no 29). A ces objets il faut joindre les nos 83, 86, 87, 88, 106 et 115 que la suite manuscrite du catalogue Strauss n'identifie pas.

Le succès de la présentation à Cluny ne se fit pas attendre. La presse salua avec enthousiasme la donation et félicita le directeur de sa présentation. La baronne Nathaniel écrivit directement à Darcel pour lui dire sa satisfaction. Les objets purent être étudiés et appréciés. La conséquence ne se fit pas attendre : d'autres dons vinrent amplifier la première collection. En 1891, un Rothschild fit don d'un pomander (cat. no 169). Deux ans plus tard, le baron Alphonse remettait un tronc à aumône (cat. no 87) et Goldschmidt un étui à amulette (cat. no 9) et deux amulettes (cat. nos 2 et 3). En 1894, l'expert qui avait joué un rôle non négligeable à la mort de Strauss, Bloche, cédait un manuscrit (cat. no 80). En 1900, Rodolphe Kann, un rituel (cat. no 29). En 1908, Hart-Derembourg faisait don d'un meguilla (cat. no 77). En 1910, Camondo qui avait réuni une collection également importante d'objets de culte juif, donnait une autre méguilla (cat. no 75) et un rouleau de Thora avec son tiq (cat. no 120). L'année suivante, il amplifiait cette première donation par un autre rouleau de la Thora (cat. no 121) et une lampe de Hanouca (cat. no 20). En 1912, il ajouta encore un parokhet (cat. no 135) et deux méguillas (cat. nos 83-84).

Les donations se prolongèrent pendant la Première Guerre mondiale : en 1915, un Shekel de Goerlitz, par Rectlinger (cat. no 61); en 1922, une lampe de Hanouca, par Hillet-Monoach (cat. no 24); en 1923, un anneau de mariage par Salomon de Rothschild (cat. no 41); en 1926, une assiette pour la fête de Pourim par Abram (cat. no 88); en 1930, deux méguillas par Camondo (cat. nos 82 et 85); en 1933, par Luville, deux plats pour le seder et trois petites assiettes (cat. nos 65 à 69), et l'année suivante, deux Tefilines (cat. nos 114 et 115). L'État lui-même s'était porté acquéreur à deux occasions seulement, en 1891 (nos 8 et 170) et en 1923 (no 35).

La collection de stèles juives

Grâce à ces dons, le musée de Cluny comprenait une section d'art juif particulièrement remarquable que bien des musées lui enviaient. Elle avait été précédée par une donation importante qui amplifia encore son intérêt. La librairie Hachette fit don en avril 1849 de 66 stèles ou fragments de stèles juives découvertes peu auparavant (4).

Lors de la construction de sa maison d'édition sur le boulevard Saint-Germain, à proximité du boulevard Saint-Michel, les travaux de terrassement mirent au jour un certain nombre d'inscriptions funéraires qui se révèlent rapidement du plus haut intérêt pour l'histoire de la communauté juive parisienne. Paris possédait au Moyen Age au moins deux cimetières juifs, l'un situé rue Galande, l'autre rue Pierre-Sarrazin (5). Le premier fort mal connu existait bien avant le milieu du XIIIe siècle, comme l'apprend une charte datée de 1258 dans laquelle le chapitre de Notre-Dame mit fin à un conflit qui opposait la communauté à deux membres du chapitre. Ce texte apporte d'importantes précisions topographiques mais fournit aussi d'utiles renseignements sur la vie de la communauté. On y apprend enfin que le cimetière était utilisé comme tel dès l'extrême fin du XIIe siècle et se situait entre la rue Galande et la rue du Plâtre (aujourd'hui rue Domot). Jusqu'à présent il n'en a été rien découvert, si l'on excepte la mise au jour en 1752 de squelettes qui pourraient être ceux de Juifs.

Plan du XVIe s., extrait de la *Topographie historique du vieux Paris* (Truschet et Hoyau), Région occidentale de l'Université, Paris, 1887, p. 7.

Le second cimetière est heureusement mieux connu. Situé dans un rectangle délimité par le boulevard Saint-Michel (autrefois rue de la Harpe), la rue Pierre-Sarrazin, la rue Hautefeuille et le boulevard Saint-Germain (autrefois rue des Deux-Portes), il existait dès le début du XIIe siècle, mais n'apparaît pas dans les textes avant 1223. En 1292, le rôle de la taille mentionne un « serjant du cimetière aux juis ». Leur expulsion par Philippe le Bel en 1306 allait le transformer en une « grande place vide ». Au milieu du XVIIe siècle, l'attentif Sauval signale qu'à son époque « on déterre tous les jours... des ossements, des tombes et des inscriptions hébraïques ». Il en connaît un certain nombre rue de la Harpe, dont quelques-unes remployées comme matériaux, dans l'écurie de Jean Doujat, dans l'escalier de Françoise Maynard, et dans une maison située en face de la rue du Foin. (6)

Rien ne nous assure que toutes ces inscriptions aient été découvertes et tout permet au contraire de penser qu'il en existe encore enfouies dans le sol ou réutilisées dans les maçonneries. La librairie Hachette en découvrit certaines qu'elle finit par céder au musée de Cluny, ou pour trois d'entre elles au musée Carnavalet (6).

Les érudits se penchèrent aussitôt sur ces inscriptions fragmentaires dont certaines étaient d'une qualité épigraphique admirable. L'entente ne fut pas toujours complète sur la datation, certains les attribuant au XIIIe siècle, d'autres hésitant entre le XIIe et le XIIIe siècle (7). M. Ginsburger devait apporter en 1924 une contribution importante en identifiant le médecin avignonnais Tsous, mort en 1122 et enterré rue de la Harpe (8). Son inscription funéraire avait été lue en 1492 par Simon de Pharès, médecin lui aussi et astrologue. La cause était entendue, le cimetière remontait bien au XIIe siècle et peut-être était-il même plus ancien (9).

Stèle hébraïque (Inv. Cl. 19401).

Par l'importance et la diversité de ses collections, le musée de Cluny témoigne à la fois de l'histoire de la communauté juive parisienne au XIIe et au XIIIe siècle, de la qualité des objets cultuels dans l'Europe classique des XVIIe et XVIIIe siècles, de l'intérêt que leur a porté un homme lancé dans le monde du Second Empire et enfin du souci d'autres collectionneurs d'enrichir une collection nationale, unique à l'époque.

La rédaction d'un catalogue s'imposait. Cependant pour éviter un double emploi, il fut décidé de ne pas y intégrer les inscriptions juives dont la publication était en cours sous l'égide du CNRS par M. Nahon (10). Quant aux objets, il a été demandé à M. Victor Klagsbald, conseiller au département Judaïca (art liturgique) du musée d'Israël à Jérusalem, de bien vouloir s'en charger. Nul n'était mieux à même pour se lancer dans cette œuvre difficile. Depuis trente ans, il étudie l'art cultuel juif et a participé à l'élaboration de nombreux catalogues tant à l'étranger : en Allemagne, à Recklinghausen en 1960 et à Francfort-sur-le-Main en 1961, qu'en Israël : à Jérusalem en 1973; qu'en France : au Petit Palais, en 1968. Il s'y ajoute une collaboration régulière depuis 1949 aux expositions organisées au musée d'Art juif de Paris et de nombreuses publications dont l'une sous l'égide du CNRS, le catalogue des manuscrits marocains de sa propre collection (1980). Dans nombre de ces expositions ou de ces études, les collections de Cluny occupèrent une large place qui en explique sa profonde connaissance. Au nom de tous les donateurs qui, depuis la baronne Nathaniel de Rothschild, ont fait en sorte que le musée de Cluny situé à quelques pas du cimetière juif du Moyen Age, porte témoignage de la permanence de la communauté juive, au centre du quartier latin, qu'il en soit très profondément remercié. D'autres aides sont venues lui apporter un concours précieux : Mme Gabrielle Sed-Rajna, Chef de la section hébraïque à l'Institut de recherche et d'histoire des textes, chargée de conférences à l'École pratique des hautes études (5e section), a bien voulu rédiger les notices de deux manuscrits particulièrement importants (n°s 28 et 29). Qu'elle en soit également chaleureusement remerciée.

L'élaboration du manuscrit et sa publication n'auraient pu être menées à bien sans l'aide efficace de Mlle Marie-Édith Girault, documentaliste au musée de Cluny. Elle a veillé avec un soin jaloux à la réalisation de toutes les étapes et s'est chargée d'établir les cinq annexes publiées à la fin de l'ouvrage.

Alain Erlande-Brandenburg
Conservateur en chef du musée de Cluny

(1) Outre les dictionnaires de biographie, de très précieux renseignements sur Isaac Strauss nous ont été fournis par M. Claude T..i Strauss, son arrière-petit-fils et Mme Josette Rance qui a réuni sur le musicien de l'Empire une très riche documentation. Qu'ils soient l'un et l'autre très profondément remerciés pour leur collaboration.

(2) Voir à ce propos le livre très suggestif de Michael R. Marrus, *Les juifs de France à l'époque de l'affaire Dreyfus*. Paris, 1972.

(3) Charlotte, née le 6 mai 1825, à Paris, était la fille de James de Rothschild et Betty de Rothschild, cousine germaine de son époux. Elle épousa le 17 août 1842 son cousin germain, Nathaniel, fils de Nathan de Rothschild, qui était l'un des cinq fils, avec Amschel, Salomon, Carl et James, de Amschel Mayer, né à Francfort en 1744. Charlotte de Rothschild s'était rendue célèbre dans la société parisienne par son goût pour la musique et ses talents de peintre. Schubert lui dédia une œuvre et l'on conserve d'elle un

certain nombre de paysages (à Mouton-Rothschild). Elle mourut le 20 juin 1899. Son époux Nathaniel s'est attiré la reconnaissance des œnologues par l'acquisition en 1853 de Mouton en Médoc qui devint rapidement célèbre sous le nom de Château-Mouton Rothschild (les renseignements m'ont été aimablement communiqués par M. Philippe de Rothschild, arrière-petit-fils du baron et de la baronne Nathaniel de Rothschild).

(4) En fait, seules huit d'entre elles furent inventoriées en 1853 (nos Cl. 2274 à 2281). Elles sont cataloguées par du Sommerard, dans l'édition de 1878 (nos 1924 à 1931) et celles de 1883 (nos 321 à 328). Lors du nouvel inventaire de la collection lapidaire, elles s'élèvent au nombre de 52 (Cl. 19401 à 19452). Au n° 19453, il est encore fait mention d'une vingtaine de fragments qui n'avaient été inventoriés jusque-là. Le total se monte aujourd'hui à 65, après plusieurs réassemblages.

(5) Voir à ce propos Michel Roblin, *Les cimetières juifs de Paris au Moyen Age*, dans *Paris et Ile-de-France, Mémoires*, t. IV (1952), p. 7-19.

(6) Henri Sauval, *Histoire et recherches des antiquités de la ville de Paris*, Paris, 1724, t. II, p. 532. Étienne Baluze avait relevé à son époque quelques inscriptions (*Bibl. nat.*, Coll. Baluze, ms 212, fol. 144 à 156). Dela-

maré (*Traité de Police*, Paris, t. I, 1722, p. 303) en cite également.

(7) Depuis lors d'autres découvertes ont eu lieu. Ainsi en 1923 et 1924, voir *Commission du Vieux Paris, Procès-verbaux*, 1923. Décembre, p. 177 et *ibid.*, 1926, p. 60-61. Le musée Carnavalet s'est enrichi de deux autres stèles, l'une découverte en 1904, place du Panthéon, la seconde en 1912, rue de la Verrerie. Le chiffre s'élève aujourd'hui à 10 fragments de stèles.
Je tiens à remercier M. Jean-Pierre Willesme, conservateur au Dépôt archéologique du musée Carnavalet, de son aide efficace et amicale.

(8) M. Ginsburger, *Un médecin juif à Paris au XIIe siècle* dans *Revue des études juives*, 1924, p. 156-159.

(9) Moïse Schwab a donné une première édition, *Rapport sur les inscriptions hébraïques de la France*, dans *Nouvelles archives de missions scientifiques et littéraires, choix de rapports et instructions*, t. XII, fascicule 3, Paris 1904.

(10) On se reportera, en attendant la nouvelle publication, aux deux chapitres dus à M. Gérard Nahon, *Les cimetières et l'épigraphie*, dans l'ouvrage collectif publié sous la direction de Bernhard Blumenkranz, *Art et archéologie des juifs en France médiévale*, Toulouse, Privat, 1980, p. 73-132. On trouvera en outre p. 362-363 une importante bibliographie sur Paris.

Lampe de Hanouca
cat. 26

Bagues de mariage

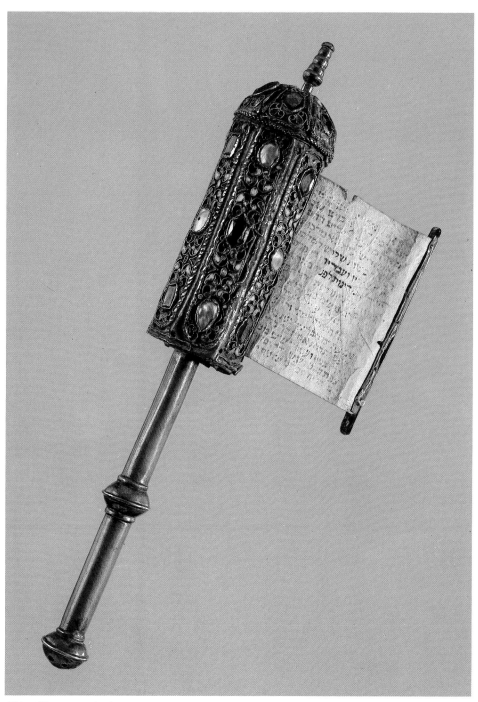

Méguilla et son étui
cat. 81

Arche sainte
cat. 123

Keter
cat. 126

Quatre nappes
cat. 158-161

Catalogue

Amulettes

1
Bijou amulette

Turquie (?), 17e ou 18e siècle
Or.
Diam. 5,4 cm
Inv. Cl. 12312
Don Rothschild, collection Strauss n° 101

Avers :   ירושלים עיר הקודש ובית המקדש בשנת תבנה ותכונן
במהרה א״ס [=] אמן סלה
*Jérusalem ville Sainte et le Temple dans l'année qu'il soit
reconstruit et restauré bientôt amen ainsi soit-il*

Coupe d'un édifice à deux étages et au toit pointu qui
représente probablement le Temple de Jérusalem.
Revers : L'inscription est composée des premiers mots de
chacun des Dix Commandements.

1

Au centre figure un vase de fleurs dans un double cercle
perlé mentionnant les noms des archanges : *Gabriel, Raphaël,
Michel*. Deux d'entre eux sont représentés debout, du
troisième on n'aperçoit que la tête et les ailes.
L'évocation des archanges, qui sont considérés comme des
anges protecteurs, confère à cette médaille un caractère
d'amulette.
Un autre exemplaire de cette amulette a été publié par
M. A. Halévy. Il lit la date dans le mot תבנה ce qui donne
457 du petit comput [= 1697]. Normalement les lettres qui
font partie du compte devraient être marquées d'un signe.
Or, aucune lettre n'est marquée. En revanche, il est impossible d'inclure également ותכנן במהרה א״ס dans le compte,
car cela nous mènerait à la date de 2542 de l'ère vulgaire.
On peut donc supposer avec Halévy que seul le premier
mot תבנה doit être considéré. Dans ce cas, cette amulette
est datée de 1697. Son stylè et la forme des lettres s'accor-
dent bien avec cette date.

Bibliographie : M. A. Halévy, *Folclorul Magic in numisma-
ticà : un medalion-amuletà de tip oriental*, dans *Studii i
cercetari de Numismatica*, vol. I, 1957, p. 447. (Academia
Republicii Populare Romîne).

2
Amulette

Rome, 18e siècle
Argent.
Haut. 12,5 cm; larg. 6,3 cm
No Inv. Cl. 13084
Don Goldschmidt, 1893

Sur la plaquette carrée – fondue – est représenté le sacrifice d'Isaac. Elle est flanquée de chaque côté de deux colonnettes et d'un cyprès. Ce motif d'architecture supporte deux lions héraldiques qui s'affrontent et entre ceux-ci s'élève un fronton en arc de cercle dans lequel sont placées les Tables de la Loi couronnées. Les Tables sont représentées comme un livre ouvert. Sous la plaquette est gravé le texte partiel du verset XXII-9 de la Genèse :

ויעקד את יצחק בנו וישם אתו על המזבח
« ...et il lia Isaac son fils et le plaça sur l'autel ».

2

3
Amulette

Rome, 18e siècle
Argent doré.
Haut. 8,1 cm; larg. 6,3 cm
No Inv. Cl. 13085
Don Goldschmidt, 1893

Plaquette à motif architectural. Sur deux colonnettes torses repose un fronton en arc de cercle. Le fronton est décoré d'une Menora à sept (?) branches. La gravure de la partie centrale reproduit le texte de la bénédiction des Prêtres (Nombres, VII, 24-26).
Poinçons : Rome 18e siècle. Maître illisible.

3

Sur l'autre face est gravé le chandelier à sept branches.
Poinçons : Le maître GS. Garantie de Rome 18e siècle.
Kayser (no 159) décrit un exemplaire semblable ainsi que Barnett (no 609) où la même scène est représentée dans un cadre différent.
Un autre exemplaire est reproduit dans *Mitteilungen*, III-IV, 1903, p. 88 fig. 124.

4
Amulette

16e siècle
Bronze doré.
Diam. 4 cm, sans la bélière
No Inv. Cl. 12316
Don Rothschild, collection Strauss no 101

Avers : Un carré divisé en douze compartiments; dans chacun le Tétragramme divin écrit de manière différente. Dans un cadre autour de ce carré est gravé : זה שמי לעולם : *tel est Mon Nom à jamais* (Ex., III-15) et des variantes de cette formule.
Le cadre est entouré des noms des anges : Ouriel, Gabriel, Raphaël, Michel.

4

Revers : Légende circulaire entourant un pentagone.

זה שמו אשר יקראו ד צדקנו : יהי שמו לעולם לפני שמש ינון שמו :
ויקרא שמו פלא : יועץ : אל גבור, אבי עד שר שלום :

voici le nom qu'on Lui donnera : Éternel, notre Justicier (1),
*que Son Nom reste éternellement, que Sa Renommée grandisse
à la face du soleil* (2),
*et on L'a appelé Conseiller Merveilleux, Héros Divin, Père
Éternel, Prince de la paix* (4).

Sur les côtés du pentagone : le nom de Jésus orthographié
de cinq manières différentes : ישו ישוע etc. nom auquel on a
ajouté chaque fois d'autres lettres du Tétragramme.
A l'intérieur du pentagone sur trois cercles concentriques :

A   זה שמי לעלם וזה זכרי
tel est Mon Nom à jamais et tel est Mon Attribut (Ex., III, 15)

B   בן בר ילד ניזינין טיל
Différents termes pour dire « Fils ».

C   כבש כשב שה צאן רחל
Différents termes pour dire « Agneau ».

Au centre, tête nimbée du Christ.
Dessous : לחם פנים - *pain de proposition.*

Cette amulette a été publiée par Schwab de manière approximative. Les exemplaires du Cabinet des Médailles et de
la Collection Strauss qu'il a décrits sont en effet des sur-
moulages dont le texte est illisible par endroit. La transcription complète du texte est rendue possible grâce à un
exemplaire se trouvant dans une collection privée (Paris).
Les caractères sont du type italien pour autant qu'on puisse
juger des lettres de si petite taille.
Cette médaille assez énigmatique semble issue des milieux
cabalistiques chrétiens de la Renaissance (Jean Pic de la
Mirandole).
L'avers se compose d'éléments purement juifs. Sur le
revers nous sommes en présence de la manière classique
des cabalistes juifs d'imbriquer deux noms : en l'occur-
rence le Tétragramme divin et le nom de Jésus. Reuchlin,
au début du 16e siècle, met en relation une forme déterminée
du nom divin avec les périodes successives de la révélation
et il pense que le Tétragramme augmenté de la lettre ש
est le nom qui correspond à la période de la Grâce. (3)

L'influence de Reuchlin sur l'auteur de la médaille est
manifeste. Il est même allé au-delà dans ses constructions
des noms. Tout montre qu'il était un hébraïsant érudit,
probablement un juif converti et que cette médaille a été
diffusée dans un but de conversion.
C'est un fait remarquable que l'auteur orthographie sur
cette face consacrée à Jésus le mot לעלם sans ו, tandis que
sur l'autre face ce mot est orthographié dans sa forme
complète (bien qu'écrit sans ו dans le texte biblique). Il est
probable que cette variation soit intentionnelle. En effet,
le mot עלם peut se lire *olam*, mais également *elem*. Or
le mot *elem* signifie « homme dans la force de l'âge ». Cette
orthographe permet donc une nouvelle traduction : Voici
Mon Nom destiné à l'Homme. Cette interprétation nouvelle justifie l'imbrication des deux noms, telle que nous
le trouvons dans la suite de la légende, sur les côtés du
pentagone.
Les mots בן ילד בר sont autant de références à des passages bibliques interprétés par l'Église comme des textes
annonçant la venue du Christ. Les deux premiers font
allusion au verset IX-5 d'Isaïe le troisième verset au II-12
des Psaumes.
Le mot ניזינין pourrait signifier « nourrisson ».
Le mot טיל se traduit « jeune » (Targ. Jér. sur Lév., XV-2).
Enfin la face nimbée du Christ est accompagnée de la
formule לחם פנים *pain de proposition* — en hébreu littéralement : pain de la face. Ceci est donc une allusion à
l'hostie.
Tous les textes choisis sont ceux interprétés par l'Église
comme annonciateurs du Christ. La manière cabalistique,
familière aux Juifs de les présenter, pouvait être aux yeux
du médailleur un moyen efficace pour amener les Juifs
à la conversion. Par ailleurs, au sein du groupe des cabalistes chrétiens, cette amulette devait être considérée comme
dotée d'un grand pouvoir.

Bibliographie : Schwab dans *Revue de Numismatique*,
Paris 1892, p. 254.

(1) Jér., XXIII-6.
(2) Ps., LXXII-17.
(3) G. Scholem, *Cabbalah*, Jérusalem, 1974, p. 198.
(4) Isaïe, IX-5.

5

6

5
Intaille

Italie, 16e siècle
Sardoine (Agathe veinée, brun-beige)
Ovale 3,3 cm × 2,6 cm
Nº Inv. Cl. 12299
Don Rothschild, collection Strauss nº 84

Femme vêtue d'une robe drapée assise à gauche sur un tronc d'arbre levant le bras droit.
Le texte hébreu gravé au dos par une main assez malhabile pourrait se lire שלט רזאל — *Blason de Raziel*.
Il s'agit probablement d'une sorte d'amulette, issue du milieu cabalistique chrétien de la Renaissance italienne.

6
Amulette

17-18e siècle
Bronze
Diam. 4,7 cm
Nº Inv. Cl. 12315
Don Rothschild, collection Strauss nº 101

L'amulette de bronze fondu, circulaire, munie d'un anneau de suspension trilobé, est couverte d'une légende hébraïque répartie sur les deux faces en trois cercles concentriques : au centre de l'avers en trois lignes et au centre du revers en quatre lignes.
Avers, de l'extérieur vers l'intérieur :

אגלא רפאל שבתאי מיכאל גבריאל סמאל צדקיאל ענאל
Agla Raphaël Sabtai Michel Gabriel Samaël Sadqiel Anaël

Deuxième cercle : ד צבאות עמנו משגב לנו אלהי יעקב סלה
L'Éternel-Sebaot est avec nous. Le Dieu de Jacob est une citadelle pour nous Selah (Ps., XLVI-8).

Troisième cercle : ברוך אתה בבואך וברוך אתה בצאתך
Béni seras-tu à ton arrivée et béni seras-tu à ton départ (Deut., XXVIII-6)

Au centre : אל אלהי ישראל
Le Seigneur est le Dieu d'Israël (Gen., XXXIII-20)

Revers, premier cercle :
שדי כי ד יהיה בכסלך ושמר רגלך מלכד יברכך יאר ישא
Saddai. Car l'Éternel sera l'objet de ton espoir; Il préservera ton pied des embûches. (Prov., III-26) *que (L'Éternel) te bénisse; que (l'Éternel) fasse rayonner; que (l'Éternel) dirige...*
(Les premiers mots de chacune des trois phrases de la bénédiction sacerdotale, Nombres, VI-23)

Deuxième cercle :
וראו כל עמי הארץ כי שם ד נקרא עליך ויראו ממך
et tous les peuples de la Terre verront que le Nom de l'Éternel est associé au tien et ils te redouteront (Deut., XXVIII-10)

Troisième cercle : לישועתך קויתי ד . שמש צדקה ומרפא
Ton aide j'espère ô Seigneur (Gen., L-18) *le soleil d'équité (se lève) et guérit* (Mal., III-20).

Entre les deux textes un signe qui pourrait être un œil, protection contre le mauvais œil.

Au centre : מטטרון שר הפנים אדנשתיץ
Metratron Prince de la face ADNShTYZ.

Entre les mots des deux cercles extérieurs, des signes qui, en partie, sont les symboles schématisés du zodiaque.
Cette amulette très rare — on n'en connaît qu'un seul autre exemplaire — et inédite, semble issue du milieu sabbatéen. Le nom *Agla* sert d'introduction à un grand nombre d'amulettes. Il s'agit de l'acrostiche formé par les quatre mots Ata Guibor Leolam Adonai. *La puissance est à Toi, ô Seigneur.* En rédigeant le texte d'une amulette, on commence donc par affirmer le principe de la toute-puissance de Dieu, dont les noms qui vont suivre ne sont que des émanations, dotés certes d'un certain pouvoir, mais dépendant de la volonté divine.
Les noms qui suivent sont ceux des archanges — le Judaïsme en connaît trois : Michel, Raphaël, Gabriel — et de trois autres anges très importants, ainsi que du nom Sabbetai. Des six anges mentionnés cinq sont préposés à cinq jours de la semaine (1). Or, l'auteur de l'amulette a préféré le nom de Sabbetai à celui des anges préposés aux deux jours qui manquent (par exemple Qapciel préposé au septième jour). Le nom *Sabbetai*, équivalent de « Saturne », figure

en effet dans certains textes cabalistiques, mais il est orthographié שבתי et non pas שבתאי comme sur cette amulette (2).

Il s'agit donc d'une indication très claire quant à sa provenance.

Au centre, on lit : *El Elohei Ysraël.* Cette invocation faite par le patriarche Jacob, au moment où il se *réinstalle en Terre Sainte*, devient un concept particulier dans le système théologique du faux Messie. G. Scholem (*Enc. Jud.*, vol. 14, p. 1223) affirme : « En tout cas le terme Elohey Israël (« Le Dieu d'Israël ») revêtit une signification mystique particulière dans son discours ».

On connaît les événements qui ont jalonné la vie de Sabbetai Zwi. Curieusement, son apostasie n'a pas éloigné ses fervents, qui voyaient dans sa conversion à l'Islam une étape nécessaire sur le chemin de la rédemption. C'est peut-être à cette conversion que fait allusion la citation du Deutéronome : « Béni seras-tu à ton arrivée et béni seras-tu à ton départ ».

Nombre de ses disciples étaient certainement désemparés par l'effondrement de tant d'espoirs, mais on attendait un renouveau. C'est à ce passage difficile que fait allusion le texte des Proverbes : *« Il préservera ton pied des embûches ».* En attendant, les Juifs, plus que jamais, avaient besoin de la protection divine. Les princes régnants réagissaient contre les prétentions politiques des Sabbatéens et après leur effondrement, les Juifs étaient en butte à des vexations. C'est sans doute cette situation qui a inspiré la citation du Deutéronome : *« Et tous les peuples de la Terre verront que le nom de l'Éternel est associé au tien (celui de S.Z. ?) et ils te redouteront ».*

Dans le troisième cercle, on lit une citation du Livre de la Genèse (L-18), paroles que le patriarche Jacob a prononcées en bénissant ses fils et qui, traditionnellement sont interprétées comme faisant allusion aux difficultés précédant les temps messianiques (3). La ligne est complétée par une citation de Malachie (III-20) qui parle également de l'épouvante qui précède les temps messianiques et de la consolation que Dieu apportera à Israël par l'intermédiaire du « Soleil d'Équité » en hébreu : *« Shemesh Zedaka».* Si ce verset a été choisi, c'est sans doute parce que les initiales de « Shemesh Zedaka » sont également celles de Sabbetai Zwi.

Metatron Prince de la Face est déjà mentionné dans le Talmud de Babylone. C'est le passage dans le Traité de Sanhédrin (38b) qui pourrait avoir motivé l'inscription de ce nom sur l'amulette.

Le Talmud donne à l'ange dont il est question dans le verset 21 d'Ex., XXIII le nom de « Metatron ». Or le texte d'Exode dit : *« Sois circonspect à son égard et docile à sa voix; ne lui résiste point ! Il ne pardonnerait pas votre rébellion, car ma divinité est en lui. »* Si jamais les disciples étaient assaillis par le doute après l'apostasie de Sabbetai Zwi, le nom du Prince de la Face et le texte biblique qu'il évoque devraient leur insuffler courage et patience.

Enfin les sept lettres ADNShTYZ sont probablement les initiales de : ADoNenu ShabbeTaY Zwi : *Notre Seigneur Sabbetai Zwi.*

(1) Schwab, *Vocabulaire de l'Angélologie*, Paris 1897.
(2) *Le Livre de l'Ange Raziel*, Ed. Princeps, Amsterdam, 1701, fol. 17 v° et fol. 18 bis r°.
(3) Voir le *Targum Jonathan b. Uziel*, sur la Genèse, L-18.

7
Pendentif

Italie, 17e-18e siècle
Argent doré
Haut. 8,2 cm; larg. 5,3 cm
No Inv. Cl. 12322
Don Rothschild, collection Strauss no 108

Dans un cadre ovale à bélière s'inscrit le chandelier à sept branches ajouré.

L'usage de cet objet n'est pas déterminé. On peut aussi bien songer à une amulette qu'à un insigne de dignitaire de Synagogue.

7

8
Etui à amulette

Italie, deuxième moitié du 18e siècle
Argent
Haut. 11 cm; larg. 8 cm; prof. 3,5 cm.
No Inv. Cl. 12481
Acquis en 1891

L'étui en forme de cœur, surmonté d'un anneau de suspension en forme de nœud, est orné de motifs de style rocaille (volutes, coquilles) et du nom divin Shadai. שדי
Il est décoré de plusieurs motifs fondus : d'un côté l'encensoir et les Tables de la Loi; de l'autre, un symbole représentant les ablutions — service de la tribu de Lévi — et l'Arche Sainte surmontée des chérubins, représentés par leurs ailes.

Dessous est appliqué, sur chaque face, un écusson (non gravé d'armoiries) couronné d'un heaume à grille, surmonté d'une aigle regardant à droite. L'un d'eux est amovible permettant ainsi l'introduction de l'amulette. L'objet se termine par une grappe de raisin.

Poinçon : Aigle regardant à droite (Modène?). Le maître FR (?)

On trouve des étuis similaires reproduits dans : Kayser (nᵒ 160) qu'il date d'environ 1800, dans Shahar (nᵒ 798) daté du 18ᵉ siècle et dans Barnett (nᵒ 595 et nᵒ 604) datés d'environ 1680.

Ce n'est qu'en Italie que l'on retrouve des étuis à amulette élaborés et d'un intérêt artistique certain. La plupart des amulettes étaient portées par leurs propriétaires et souvent enterrées avec eux. En Italie, en revanche, on suspend l'amulette contre le mur, elle devient en même temps une pièce décorative qui embellit la maison. Deux genres d'étuis nous sont parvenus. Il y a ceux qui revêtent un aspect architectural en représentant un portail flanqué de colonnes. La porte s'ouvre parfois, afin de permettre l'introduction de l'amulette, calligraphiée sur un parchemin.

L'autre type, représenté celui-ci dans la collection Strauss-Rothschild (nᵒ 8), évoque la forme d'un cœur. Il faut voir là peut-être une imitation du Sacré-Cœur, décoration pieuse, très répandue dans les foyers italiens. A l'intention de la

8

9

9
Etui à amulette

Italie, milieu 18ᵉ siècle
Argent repoussé, partiellement doré
Haut. 10,5 cm; larg. 6,5 cm; prof. 2 cm
Nᵒ Inv. Cl. 13083
Don Goldschmidt, 1893

L'étui en forme de cœur surmonté d'un anneau de suspension en forme de nœud, est orné de motifs de style rocaille (volutes) et du nom divin Shadai. שדי
Il est décoré de plusieurs motifs fondus; d'un côté le chandelier à sept branches et les Tables de la Loi; de l'autre, l'encensoir et la mitre du Grand Prêtre. Sur chaque face figure au centre un écusson (non gravé d'armoiries) couronné d'un heaume à grille et surmonté d'une aigle regardant à gauche. L'un d'eux est amovible afin de permettre l'introduction de l'amulette. L'objet se termine par une grappe de raisin.
Il convient de mettre en rapport cet objet avec le nᵒ 8. Barnett décrit sous le nᵒ 593 un objet similaire qu'il dit italien et croit pouvoir dater vers 1680.

clientèle juive, le cœur a été chargé de symboles juifs, afin d'éviter toute équivoque. Cette pratique ne doit pas étonner. Les Juifs, exclus des corporations, ne pouvaient exercer de métier artisanal et comme partout ailleurs en Europe occidentale jusqu'à l'émancipation, ils devaient faire appel aux orfèvres non-juifs. Ceux-là ont simplement tenté d'adapter aux besoins de la clientèle juive un objet qu'ils fabriquaient en série pour leur clientèle habituelle.

Le besoin de posséder une amulette bien en vue — en dehors du désir de protection — procédait d'une part d'une tendance à imiter le voisin non-juif et de l'autre du refus de considérer la Mezouza comme une amulette.

Cependant la Mezouza, qui à l'origine est un memento du caractère sacré du foyer, a été également considérée plus tard comme une protection ayant un caractère tant soit peu magique (1). Le nom divin Shadai qui est calligraphié au dos de la Mezouza a été interprété comme les initiales de Somer Daltot Israel (Gardien des Portes d'Israël). Comme c'est souvent le cas quand la superstition s'empare du symbole religieux, on attribue à la forme visible un pouvoir magique et autonome qui repousse au second rang l'idée que le symbole veut évoquer.

C'est cette évolution de la Mezouza qui a chargé le nom « Shadai » d'une signification magique de protection. Il a suffi de franchir ce pas pour que les étuis à amulette soient signalés par ce nom. Aussi figure-t-il sur les deux faces des étuis décrits dans ce catalogue sous les numéros 8 et 9 et cet usage a fini par donner aux étuis à amulette le nom de « Shadai ».

Le Judaïsme orthodoxe, surtout en Occident, voit d'un mauvais œil l'usage d'amulettes.

(1) Le Talmud de Babylone dans les Traités de Menahot 33b et Aboda Zara 11a associe à la fonction essentielle de la Mezouza, celle de barrer le passage de la porte aux mauvais esprits.
En réalité le Talmud dit dans un langage plus accessible à ses contemporains que la Mezouza a pour fonction d'empêcher les actions contraires à l'éthique juive qu'il appelle, pour être mieux entendu, « les mauvais esprits ».

10
Etui à amulette

Italie, milieu 19e siècle
Or
Haut. 10,5 cm ; larg. 6,7 cm
A l'intérieur, amulette écrite sur parchemin
No Inv. Cl. 12303
Don Rothschild, collection Strauss no 91

L'étui en forme d'écusson couronné est décoré de volutes et de coquilles. D'un côté a été appliqué en lettres serties de diamants le nom divin de Shadai, de l'autre l'étoile de David. Il ouvre à charnière afin de permettre l'introduction de l'amulette. Celle-ci est écrite sur parchemin et a pour but principalement de préserver du mauvais œil.

10

La circoncision

11
Coupe de circoncision

Padoue (Italie), 17e siècle
Argent doré
Haut. (sans l'anse) 2,5 cm; diam. 7 cm
No Inv. Cl. 12274
Don Rothschild, collection Strauss no 45

La coupe circulaire pose sur un pied octogonal. L'anse richement décorée dans le goût de la Renaissance fait penser à un hippocampe.
Toute la partie creuse de la coupe est décorée au repoussé d'une scène de circoncision qui montre le parrain assis sur un siège imposant (le « trône du prophète Élie ») et qui présente sur ses genoux, l'enfant au Mohel. A droite se tient une personne adulte, sans doute le père, et un enfant tenant une bougie. A gauche, un personnage avançant une coupe de circoncision. Sur l'aile, le texte en réserve, dans une belle écriture italienne, se détache du fond guilloché « peau de serpent ».

וימל אברהם את יצחק בנו בן שמונת ימים כאשר צוה אתו האלהים
Abraham circoncit Isaac, son fils, à l'âge de huit jours, comme Dieu le lui avait ordonné (Genèse, XXI-4).

Poinçon : Garantie Padoue (Rosenberg, 4, devant no 7422). Le maître difficilement lisible (Adolphe Gaap ?).
La coupe avait à l'origine deux anses dont l'une a disparu. Une coupe similaire, sortant du même atelier (ses deux anses et son pied sont identiques à ceux de cet exemplaire) se trouvait dans la collection de Sally Fürth, à Mayence (voir *Mitteilungen,* III-IV, fig. 134). Cependant cette coupe n'était pas décorée au centre et son bord était gravé d'un texte différent. Daniel M. Friedenberg qui décrit et reproduit une médaille juive en or, datée de 1665 n'a pu en examiner que des photographies et ne donne aucun renseignement à son sujet en dehors de ses dimensions Il la croit hollandaise et destinée à commémorer une circoncision. Il fait un rapprochement avec la coupe de Cluny en

11

écrivant : « Le passage [dans l'évolution] d'une coupe à une médaille prit apparemment un siècle dans l'environnement chrétien de l'Europe Centrale ». Il pense en effet, que la coupe date du 16ᵉ siècle, ce que le poinçon de garantie de Padoue contredit pourtant formellement. On ne peut lui attribuer une origine plus reculée que le 17ᵉ siècle. Il n'y a pas de raison de penser que cette écuelle constitue une étape dans le développement de la médaille juive, qui n'a pas attendu le 17ᵉ siècle pour se manifester. Citons comme seul exemple le nᵒ 56 de ce catalogue, la médaille de Gracia Nassi, faite en 1556.

En revanche, il y a probablement un rapport bien plus intime entre la médaille et la coupe. Un examen de près permettrait d'être plus affirmatif. Il est plus vraisemblable que la médaille a inspiré la décoration de la coupe. L'autre écuelle sortie du même atelier ne comporte aucune décoration en dehors du texte gravé sur l'aile. Il semble donc que l'idée de décorer le fond soit venue plus tard. Le petit objet, de par ses dimensions, de par sa forme ronde et surtout à cause de la légende circulaire évoque l'aspect d'une médaille. C'est cette ressemblance qui a dû inciter l'artiste à décorer le fond (le champ) de la coupe. Certaines ressemblances, notamment dans le drapé, font même supposer que la médaille et la décoration de la coupe seraient l'œuvre du même artiste.

Bibliographie : Daniel M. Friedenberg, dans *Jewish Medals, the Jewish Museum*, New York, 1970, p. 65-67. - *Mitteilungen,* III-IV, 1903, p. 93.

12
Couteau de circoncision

Europe (Hollande ?), 1698
Manche en cristal de roche et argent
Long. 17 cm
Nᵒ Inv. Cl. 12323
Don Rothschild, collection Strauss nᵒ 109

Le manche est gravé sur ses quatre faces. Sur les deux faces les plus larges sont représentés respectivement le sacrifice d'Isaac et une scène de circoncision.

Sur les deux faces plus étroites sont gravés respectivement la bénédiction prononcée au moment de la circoncision et le début du verset XXI-4 de la Genèse :

וימל אברהם אֹת יצחק בנֹו לפק

... et Abraham circoncit Isaac son fils.

La valeur numérique des lettres marquées totalise 458 du petit comput, c'est-à-dire 5458 [1698].

Le style de la gravure rappelle les objets hollandais du 17ᵉ-18ᵉ siècle comme les boîtes à tabac. La représentation du sacrifice d'Isaac sur un couteau de circoncision reflète l'enseignement rabbinique qui voit dans la circoncision, le renouvellement symbolique du geste d'Abraham (1).

(1) Pirké de Rabbi Eliezer, chap. 29 et le commentaire du Gaon de Wilna sur Tur Yoré Déa § 265, nᵒ 47.

12

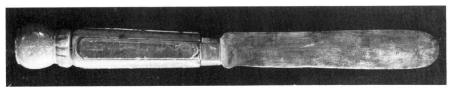

13

14

15

13
Couteau de circoncision

Europe, 1731
Manche en ambre
Long. 19 cm
N° Inv. Cl. 12361
Don Rothschild, collection Strauss n° 143

Le manche est recouvert de quatre plaquettes d'ambre transparent et se termine par une boule gravée. Sous les deux plaquettes les plus larges sont représentés respectivement le rêve de Jacob (allusion au nom du propriétaire?) et une scène de circoncision.
Sous les deux plaquettes plus étroites, on lit respectivement la bénédiction prononcée au moment de la circoncision et le début du verset XXXIX-21 de la Genèse :

בשנת ויהי ה' את יוסף ויט אליו חסד לפק

en l'année du petit comput : et Dieu était avec Joseph et lui attira la bienveillance.

Les lettres signalées totalisent 491, date qui correspond à l'année 1731.

14
Couteau de circoncision

Europe centrale, 18e siècle
Manche en argent, serti de grenats
Long. 15 cm
N° Inv. Cl. 12275
Don Rothschild, collection Strauss n° 46

Le manche plat est terminé par une boule godronnée.
Il est gravé d'un côté d'une scène de circoncision; de l'autre est représenté le Mohel. Décor floral.
Poinçon : Lettre E dans un losange, poinçon de recense austro-hongroise (Repunzierungsstempel) 1806-1807, de la ville de Cracovie (Reitzner, p. 204).
Un couteau presque identique se trouve au Bayerisches National-Museum, Munich.

Bibliographie : *Mitteilungen,* III-IV, 1903, p. 92.

15
Couteau de circoncision

Europe centrale, 18e siècle
Manche en argent
Long. 19 cm
N° Inv. Cl. 12326
Don Rothschild, collection Strauss n° 112

Le manche à quatre faces est gravé de motifs végétaux. Il se termine par une boule percée à jours, surmontée d'une fleur.

Sur les deux faces plus larges est gravé le verset XVII-12 de la Genèse :

בן שמנת ימים ימול לכם כל זכר את בשר ערלתכם לדרתיכם

A l'âge de huit jours, que tout mâle, dans vos générations, soit circoncis par vous.

Poinçon : Lettre F dans un losange. Ce poinçon est la recense austro-hongroise (Repunzierungsstempel) 1806-1807, de la ville de Brünn (Reitzner, p. 204).

16
Gobelet

Augsbourg (Allemagne), 1795-1797
Argent partiellement doré
Haut. 5,1 cm; diam. 7,3 cm
N° Inv. Cl. 12273
Don Rothschild, collection Strauss n° 44

Gobelet à panse renflée décorée de trois cartouches entre lesquels se déploient des tiges portant feuilles et fruits. Sur les cartouches sont gravés les mots כוס של ברכה *Coupe pour la bénédiction.*

Poinçons : Augsbourg 1795-1797 (Rosenberg, I, 286). Le maître C.F.T., probablement Karl Ferdinand Tautenhahn (Rosenberg, I, 1030).
Cette coupe, utilisée pendant la cérémonie de la circoncision, faisait probablement partie d'une paire. Les deux coupes s'emboîtent en général l'une dans l'autre comme les coupes de mariage allemandes. Deux coupes similaires sont reproduites dans Barnett (n°s 490 et 490a).

Bibliographie : Rosenberg, I, n° 286.

16

La fête de Hanouca

17

17
Lampe de Hanouca

France, 14e siècle
Bronze
Haut. 15 cm ; larg. 14,5 cm
No Inv. Cl. 12248
Don Rothschild, collection Strauss no 14

L'applique triangulaire est décorée de motifs d'architecture de style gothique : à la partie supérieure une rosace ;
à la partie inférieure onze arcs surbaissés, surmonté chacun
d'une rose. Les godets sont de forme angulaire. Le shamash,
fixé à la hauteur de la rosace, est plus volumineux. Anneau
de suspension trilobé.
Cette lampe aurait été trouvée au 19e siècle dans l'ancien
quartier juif de Lyon, ce qui permettrait de la dater d'avant
la dernière expulsion (1394).

Bibliographie : Narkiss, pl. VI no 21. Narkiss Betsallel,
dans *Art et Archéologie des Juifs en France médiévale,* sous
la direction de B. Blumenkranz, éd. Privat, Toulouse, 1980.

18
Lampe de Hanouca

Italie, 16e siècle
Bronze
Haut. 14 cm ; larg. 15 cm
No Inv. Cl. 12247
Don Rothschild, collection Strauss no 13

La plaque en forme de fronton est encadrée sur les côtés
par des volutes, surmontées d'un dôme qui supporte l'anneau
de suspension. Au centre est représentée une vasque, d'où
sort une flamme, flanquée de deux lions rampants.

18

19

A la base de la plaque l'inscription : כי נר מצוח ותורה אור
car le commandement divin est une lampe et la Thora est
Lumière (Prov., VI-23).

Les godets sont de forme angulaire. Le Shamash est fixé
sous l'anneau de suspension.
La décoration de cette lampe réunit les deux motifs essentiels de la hanoukia : l'architecture (fronton) qui rappelle
l'inauguration du Temple et la lumière (flamme) en souvenir du prodige de l'huile.

Bibliographie : Narkiss, n° 26, qui explique la présence de
ce texte des Proverbes.

19
Lampe de Hanouca

Italie, 16e siècle
Bronze
Haut. 16,5 cm ; larg. 21 cm
N° Inv. Cl. 12246
Don Rothschild, collection Strauss n° 11

La plaque est décorée au centre d'une tête de Méduse
entourée de deux centaures qui emportent chacun une
femme. A gauche, une flûte de Pan, à droite une lyre (?).
La plaque est surmontée au centre d'une palmette décorée
d'un pélican et de trois créneaux de chaque côté ; la palmette est fixée à l'aide de deux clous. Les deux parties de
la lampe ont été soudées ; les parois latérales manquent. Le
« shamash » est fixé à droite. Les godets sont de forme
angulaire.
La forme de cette lampe doit être rapprochée des lampes
italiennes du 16e siècle de type architectural (comp. Narkiss,
n° 45). Il ne reste en dehors de sa forme rectangulaire,
que les créneaux pour rappeler cette parenté.

Vers 1500, la mode des plaquettes à décor allégorique et
mythologique se répand à partir de Florence et de Padoue,
à travers toute l'Italie. La décoration de la lampe est une
copie surmoulée de la paroi antérieure d'une cassette à
bijoux, faite à Padoue au début du 16e siècle. Cependant un
buste, figurant entre les cornes d'abondance sur la face
antérieure de la cassette, a été remplacé sur la lampe par
une tête de Méduse qui décore le couvercle de la cassette.

Le pélican nourrissant ses petits de son sang est un symbole
connu dans l'iconographie chrétienne où il représente le
sacrifice du Christ. C'est probablement à ce titre que le
moule se trouvait parmi les outils du fondeur.
Si ce motif a été choisi, ou tout au moins accepté par le
client juif, c'est parce que ce symbole a également une signification juive. Au 17e siècle il apparaît à Amsterdam où
il orne les armes de la communauté juive portugaise. Très
probablement il fait allusion au martyre des marranes, dont
nous retrouvons au 16e siècle la présence dans plusieurs
villes d'Italie, notamment à Venise, à Ferrare et à Rome.
C'est sans doute le caractère païen de la décoration qui est à
l'origine de la grande rareté de ce modèle.

Bibliographie : Narkiss n° 27. Kress Coll. of Renaissance
Bronzes, National Gallery of Art, Smithsonian Institution,
Washington D.C., 1951, p. 40.

20

21

20
Lampe de Hanouca

Italie, 16e siècle
Bronze
Haut. 25 cm; larg. 27 cm; prof. 6 cm
No Inv. Cl. 18304
Don Camondo, 1911

La lampe revêt la forme d'un banc. Les huit godets la séparent en deux parties qui sont recouvertes de textes hébraïques.
La partie supérieure est en retrait et surmontée d'un fronton décoré de motifs végétaux. Le texte reproduit est celui de הנרות הללו (*Hanerot Halalu*). Au milieu du fronton, un écusson non gravé d'armoiries. Anneau de suspension.

Sur la partie inférieure on lit : הכל חייבים בה אחד אנשים
ואחד נשים בכלל כיגם זה ידוע לכל כמו שכתוב באורח חיים
הזהיר בהם יהיו לו בנים גדולים בתורה ותלמידי חכמים
« Tous, aussi bien les hommes que les femmes sont astreints au devoir de l'allumage. Par ailleurs, et ceci est connu de tous, comme c'est écrit dans « Orah Haim », celui qui respecte ce commandement aura en récompense des fils qui seront des maîtres de la Thora ».

Les godets sont de forme angulaire. En haut à droite un trou où était fixé peut-être le shamash. La lampe était démontable en cinq parties, qui, par la suite, ont été fixées par soudure.
Un autre exemplaire (d'une fonte moins nette) est conservé au musée Victoria et Albert de Londres. Narkiss, bien qu'avec quelques hésitations, attribue une origine alle-mande à cette lampe. Il a dû sans doute être influencé par la forme achkenaze des caractères. Mais nous rencontrons cette même forme carrée de lettres dans le milieu achkenaze d'Italie. Dans son livre, Narkiss reproduit sous le numéro 37 une autre lampe, celle-ci incontestablement allemande. Or, cette lampe est construite de la même façon que celle-ci; elle est également décorée d'un texte couvrant tout le « dos » et date de la même époque. Mais la ressemblance s'arrête là. La comparaison des deux lampes fait ressortir clairement le caractère allemand de l'une et l'origine italienne de l'autre.

Bibliographie : Narkiss, p. 31, pl. XXIII, 63, où le deuxième texte הכל חייבים est analysé.

21
Lampe de Hanouca

Italie, 16e siècle
Bronze
Haut. 14,5 cm; larg. 23 cm
No Inv. Cl. 12244
Don Rothschild, collection Strauss no 9

Plaque à contours irréguliers décorée au centre d'un génie ailé accroupi. De chaque côté est placé un génie ailé son-nant de la trompe. Au sommet figurent deux enfants tour-nant le dos à un écusson non gravé d'armoiries. Les godets sont de forme arrondie. A la base de chaque côté figurent des masques en forme de demi-lune.

22

23

Narkiss reproduit une lampe similaire (n° 31) d'une fonte plus nette. A la place de l'écusson, cette lampe est décorée d'une tête de lion vue de face. A remarquer la forme du génie accroupi; Narkiss la rapproche de celle de Bouddha devenu familier aux Vénitiens grâce à leurs relations commerciales avec l'Extrême-Orient.

Bibliographie : Narkiss, n° 31.

22
Lampe de Hanouca

Italie, 16e siècle
Bronze
Haut. 17 cm; larg. 23 cm
N° Inv. Cl. 12245
Don Rothschild, collection Strauss n° 10

La plaque ajourée est décorée au centre d'un mascaron surmonté d'une vasque flanquée de deux cornes d'abondance sur lesquelles s'appuient deux putti.
Sur les côtés des sphinges s'appuyant sur des mascarons.
Le bord inférieur est décoré d'une frise de palmettes.
La partie supérieure représente une tête de fauve dans laquelle s'intègre une tête d'angelot.
Ce modèle semble être sorti du même atelier que la lampe beaucoup plus commune, décorée de deux lions (Narkiss n° 32). La partie centrale est identique, mais les lions ont été remplacés par des sphinges.

Bibliographie : Narkiss, n° 32.

23
Lampe de Hanouca

Salzbourg (Autriche), 18e siècle
Argent
Haut. 35 cm; larg. 28 cm
N° Inv. Cl. 12242
Don Rothschild, collection Strauss n° 6

Le décor de l'applique représente, dans la partie centrale de la plaque, le chandelier à sept branches, entouré de rinceaux, de feuillages, et surmonté d'une coquille. Le pied du chandelier est gravé du texte des Prov., VI-23 :

כי נר מצוה ותורה אור
car le commandement divin est une lampe et la Thora est Lumière.

Le shamash est fixé en haut de la plaque.
Poinçons : 13 et la marque de Salzbourg (la lettre S dans un ovale). Reitzner, p. 239.

24

25

24
Lampe de Hanouca

Breslau (Allemagne), 18e siècle
Argent partiellement doré
Haut. 38 cm; larg. 37,5 cm; prof. 5 cm
No Inv. Cl. 20369
Legs Hillet-Monoach, 1922

La plaque, de style baroque, est encadrée par deux colonnes surmontées de lions. Elle montre au centre une arche sainte sur laquelle se tiennent deux aigles (?) qui supportent une couronne fermée.
Sur les portes de l'arche est gravé :

מנורה הזה (!) תתן לפני ארון הקדש בבהכ הרב ר מרדכי שקלאור
Tu placeras cette lampe devant l'Arche Sainte dans la synagogue de Mordekhai Sklower.

A droite sous un fronton supporté par deux colonnes, Moïse tenant les Tables de la Loi et la verge fleurie, à gauche Aaron couronné tenant le bâton et l'encensoir. Au centre en bas, un homme (le Grand-Prêtre?) allumant le chandelier à sept branches; derrière lui l'autel; sur un panneau carré, à droite les bénédictions de la Hanoukia et à gauche le texte de Hanerot Halalu. Le shamash est fixé sur une coquille qui surmonte la plaque.
Pieds en forme de serpents.
Poinçons : Breslau, 18e siècle. Le maître Hilsover (?).
La représentation traditionnelle de Moïse et d'Aaron est celle que l'on trouve fréquemment sur les pages de titre gravées.
L'orfèvre a interverti certains symboles, attribuant la « verge fleurie » à Moïse et le bâton à Aaron. D'autre part, l'homme qui allume le chandelier à sept branches, disparu depuis bientôt deux millénaires, porte des vêtements contemporains. L'orfèvre s'est sans doute inspiré de gravures sur bois, figurant dans les livres de Minhagim *(Coutumes)*, comme par exemple ceux, imprimés à Amsterdam en 1662, 1685, 1708. La Menora est une imitation assez proche de celle qui figure dans l'édition de 1662.
Le texte (fautif) gravé sur les portes de l'arche nous apprend que cette lampe était dédiée à la synagogue de R. Mordekhai Sklower (originaire de Sklow en Russie).
Le bas de la lampe semble avoir été consolidé au 19e siècle.
Pour ce genre de lampes, comparer Narkiss, nos 118 et 130.

25
Lampe de Hanouca

Europe centrale, début 19e siècle (1814-1817)
Argent
Lampe : Haut. 25 cm; larg. 22 cm; Haut. des godets 6 cm
Shamash : Haut. 10,5 cm; larg. 9 cm
No Inv. Cl. 12243
Don Rothschild, collection Strauss no 7

Les brûleurs sont en forme de colonne basse à côtes, surmontée d'un chapiteau sur lequel est accroupi un lion rugissant. Sa gueule sert d'emplacement à la mèche. Des huit réservoirs il n'en subsiste que six.
Le réflecteur est décoré de deux colonnes supportant des lions couronnés, tenant une couronne fermée et un tissu drapé. Le tout veut probablement figurer une arche sainte, dans laquelle se trouve un livre ouvert, où on lit la prière de הנרות הללו (Hanerot Halalu).

Certaines lettres, plus grandes, sont marquées d'un signe. Leur valeur numérique additionnée donne la date de 577 [1817].
Au-dessus de la couronne on voit l'aigle autrichienne. La décoration autour des colonnes figure des vignes et une corbeille de fruits. Il y a une différence de facture notable entre la lampe proprement dite, datée par le poinçon de 1814, et le réflecteur. Il n'est pas impossible que celui-ci ait été à l'origine une plaque ornementale pour la Thora (les lions, le livre, l'arche sainte, la vigne). Trois ans après avoir été faite, cette lampe a peut-être été endommagée et l'on a remplacé en 1817 le réflecteur par ce Tass.
Ce qui donne à la lampe un intérêt accru est le shamash indépendant et d'une forme très élaborée; un lion adossé à une tourelle sur laquelle se tient un oiseau. Il ne fait cependant pas de doute qu'il appartient à cette lampe de Hanouca car les deux pièces portent les mêmes poinçons.
Poinçons : AL en monogramme au-dessus du poinçon 12 dans un rectangle. 1814 dans un rectangle.

26
Lampe de Hanouca

Francfort-sur-le-Main (Allemagne), première moitié du 18e siècle
Argent repoussé, ciselé, partiellement fondu
Haut. 57 cm; larg. 34 cm
No Inv. Cl. 12241
Don Rothschild, collection Strauss no 5

Le chandelier pose sur une base carrée, soutenue à chacun de ses quatre angles par un lion dressé, tenant un écusson. Sur cette base carrée pose le pied circulaire décoré de godrons, surmonté d'une plate-forme carrée, entourée d'une clôture, faite de fleurs de lis, où se dresse le tronc central. De chaque côté du tronc sortent quatre bras. Leur décoration comporte les éléments mentionnés dans la Bible : des

26

victoire est évoquée par des figurines de guerriers ou par des emblèmes militaires.

Dans les figurines, représentant un aigle ou un cerf, Schoenberger voit une allusion à la Mishna de Ben Tema. (Traité des Pères IV-17). Le personnage tirant de l'arc serait un Amour et sa présence sur cette lampe ainsi que celle de l'autruche que Schoenberger identifie comme une dinde, serait due à l'arbitraire de l'orfèvre. Celui-ci, disposant par hasard de ces figurines, s'en serait servi *« pour remplir le vide... fournissant un exemple saisissant de la manière dont les orfèvres chrétiens, accidentellement, se servaient de formes dépourvues de signification juive, pour remplir le vide »*.

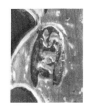

26 (détail)

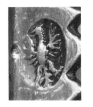

26 (détail)

26 (détail)

26 (détail)

boutons et des fleurs (Ex., 25-33), des boules ajourées et des coupes. Les bras sont renforcés en haut par une barre transversale sur laquelle sont posés les huit godets à huile. En outre, près du tronc sont suspendues deux clochettes surmontées chacune d'un hallebardier.

Le neuvième godet, le shamash, est fixé légèrement plus bas que le tronc. Les huit godets sont décorés de figurines représentant de chaque côté en partant du milieu : 1° une autruche; 2° un pélican; 3° un cerf; 4° un archer.

Le tronc central se termine par une plate-forme ronde entourée d'une balustrade faite de fleurs de lis et sur laquelle se tient une figurine représentant Judith levant un glaive et tenant la tête d'Holopherne.

Poinçons : 1 - Francfort-sur-le-Main, début 18e siècle (Rosenberg, 2002). 2 - IMS. Le maître Johann Mathias Candrat (Candrait, Rosenberg, 2055). Candrat est attesté comme maître de 1707 à 1723; il est mort en 1750.

Mordekhai Narkiss n'interprète pas la décoration de cette lampe. Guido Schoenberger voit dans les deux hallebardiers les gardiens du shamash. On voudrait suggérer que les hallebardiers symbolisent les héros de la fête de Hanouca, les Hasmonéens. Sur de nombreuses lampes en effet, la

Il est possible en effet, bien que peu probable, que la présence de ces figurines soit due au hasard. Celle que Schoenberger désigne comme « Amour » représente plus probablement le Sagittaire qui est le signe du Zodiaque du mois de Kislev, dont le 25e jour est le début de la fête de Hanouca. Il pourrait également rappeler le signe zodiacal du propriétaire de la lampe.

Par ailleurs, Narkiss voit un pélican dans la figurine que Schoenberger décrit comme un aigle et un cygne là où Schoenberger voit une dinde. On peut reconnaître dans cette dernière figurine une autruche. Il faut suggérer une autre explication qui rende compte de cette œuvre exceptionnelle. A Francfort, les maisons dans le quartier juif avaient toutes leur enseigne dont l'emblème devenait souvent le nom de famille des habitants. Or, nous connaissons à Francfort une maison « au Pélican » et une autre « à l'Autruche » (il existait d'ailleurs aussi une maison « au Cygne »).

La maison « à l'Autruche » était habitée au début du 18e siècle par la famille estimée de Wimpfen, alliée du puissant rabbin et « Juif de Cour », Samson Wertheimer. L'épouse de Gabriel Wimpfen appartenait à la famille

Kann-Beer, considérée comme l'une des plus riches de la ville. Et cette famille habitait la maison « au Pélican ». On peut penser qu'à la manière des riches familles portugaises d'Amsterdam qui faisaient graver leur « Hanukilha » de leur blason, ces puissants banquiers francfortois personnalisaient leur lampe à l'aide de figurines rappelant l'enseigne de leur demeure. Si cette interprétation est juste, la splendeur de la lampe conviendrait tout à fait au rang des familles citées. La figurine au cerf rappelle probablement le nom du propriétaire (Cerf-Hirsch ou Herz). Un membre de la famille Wimpfen dans la première moitié du 18e siècle s'appelait en effet, Herz Lazare.

Mordekhai Narkiss et Guido Schœnberger ont tous deux attiré l'attention sur l'existence d'un modèle traditionnel francfortois de lampe. Il faut, en effet, rapprocher cette lampe de celles conservées au Jewish Museum de New York (cat. Kayser, nº 142) et surtout de celle reproduite dans *Mitteilungen*, 1903, fig. 41-42, et conservée au Musée Historique de Francfort (cat. Recklinghausen, nº 237). La présence de clochettes sur une lampe de Hanouca ne s'explique pas aisément. Il est certain que cela n'est pas dû au hasard, car sur la lampe du Musée Historique de Francfort, faite par Valentin Schüler quelques dizaines d'années avant celle-ci, il y en a également. Les ateliers en question exécutaient beaucoup de commandes juives, notamment des couronnes et des plaques décoratives pour la Thora, qui comportent toujours des clochettes.

L'orfèvre non-juif, ignorant la signification de celle-ci, les aura placées par habitude également sur le chandelier. Cependant il est possible que la description biblique de la Menora qui précède celle des vêtements du Grand Prêtre et où il est question d'une « clochette en or et d'une grenade » ait motivé la présence des clochettes. (Ex., XXVIII-34).

La balustrade faite de fleurs de lis est typique pour l'œuvre de Sandrart. Sur ses plaques destinées à la Thora, nous en trouvons également. La fleur de lis est un symbole cher aux Juifs (Cantique des Cantiques) et serait un antique emblème des rois de Juda.

Enfin, les lions dressés sur leurs pattes arrière deviennent au 18e siècle les pieds traditionnels d'un grand nombre d'objets du culte juif, faits à Francfort.

Reproduite dans Ernst-Cohn-Wiener, p. 180, qui la dit italienne.

Bibliographie : Narkiss, p. 79. - Guido Schœnberger, *Der Frankfurter Goldschmied Johann Mathias Sandrart* dans *Schriften des Historischen Museums Frankfurt am Main*, XII, 1966, p. 143 ss. Dr. A. Dietz, *Stammbuch der Frankfurter Juden*, Francfort-sur-le-Main, 1907, p. 464, p. 476.

27
Chandelier pour Hanouca

Italie, 18e siècle
Dinanderie
Haut. 85,4 cm; larg. 43 cm
Nº Inv. Cl. 12352
Don Rothschild, collection Strauss nº 132

27

Le fût balustre supporte huit bras, tors dans la partie inférieure, consolidés par une barre transversale, et par des motifs en forme de S. Ils se prolongent au-dessus de la barre en présentant des motifs de décoration en forme de calices, et se terminent par de grandes bobèches, ornées par des couronnes fleurdelisées.

Le fût est prolongé au-dessus de la barre par une tige, identique aux huit bras. Elle supporte un lion rampant, tenant d'une patte un écusson, non gravé d'armoiries, et de l'autre un épi de blé.

Un pas de vis fixé sur la tête du lion laisse supposer que le lion servait de support au shamash. La présence de l'écusson et du lion tenant un épi de blé, indique une origine italienne. De nombreuses familles italiennes, en effet, possédaient des armes de famille. Elles sont parfois reproduites sur les lampes de Hanouca et le dinandier a dû prévoir l'écusson à cet effet.

Le lion tenant un épi de blé est un emblème messianique qui fait allusion à la prophétie d'Isaïe : « *et le lion, comme le bœuf, se nourrira de paille* » (1). Cet emblème orne de nombreuses armoiries juives d'Italie.

(1) Isaïe, XI-7.

Livres

28
Rituel

Rhénan (Allemagne ou France), vers 1320
Nᵒ Inv. Cl. 12.290
Don Rothschild, collection Strauss nᵒ 70

Calendrier commençant avec l'an 1323 (fᵒˢ 302-304 et 354);
Poésies liturgiques (fᵒˢ 305-353). Lois rituelles (354V-375).
Incomplet au commencement.
Parchemin; II + 374 (2-375) + II fᵒˢ 201 × 160 mm
(167 × 117 mm). Écriture carrée achkenaze, plusieurs
mains. 19 lignes écrites pour 20 lignes réglées à l'encre.
Composition en majorité de cahiers à huit feuillets. L'ordre
des cahiers a été interverti : le fᵒ 354, un feuillet isolé,
contient la fin du calendrier interrompu au fᵒ 304v. Ce
feuillet aurait sa place avant les poésies liturgiques (fᵒˢ 305-
353). Le texte aux fᵒˢ 354v-375 est d'une écriture différente.
Les réclames, dont plusieurs ont été partiellement rognées,
sont rehaussées de dessins.
Reliure du XVIᵉ s. en maroquin havane, sur ais de bois.
Traces de fermoirs.

Fᵒ 353 inscription tardive au nom de Seligman Mendel,
fils de פורוויילר (?)
Décor monochrome portant sur le mot initial des grandes
sections.
Dessins rehaussant les réclames, comportant souvent des
éléments figuratifs.
Le mot initial des sections principales du rituel est écrit en
caractères de grand module. Deux types d'ornements sont
utilisés :
— un contour enjolivé qui double la lettre, l'ensemble étant
souvent flanqué, ou surmonté de grotesques (fᵒˢ 75, 136,
209, 265v, 304);

28

— motifs zoomorphes et hybrides incorporés aux hampes et aux meneaux et laissés en réserve sur le fond encre. Au f° 152, le mot est surmonté d'un double arc, orné des mêmes éléments.

Les dessins qui accompagnent les réclames changent de style à partir du f° 170v. Dans la première partie, ils sont de la main qui a décoré les lettres ; celle-ci est relayée par une autre, d'une technique plus fruste, qui a souvent employé des figures animées, animaux, hybrides et êtres humains. Le manuscrit est originaire de la Rhénanie. La localisation exacte — Allemagne ou France du Nord — reste question ouverte. Si, dans la première partie, l'écriture est plutôt de type allemand, dans le texte ajouté aux f°s 354v-375, elle paraît davantage de type français. Le rituel contient quelques piyyutim connus seulement par le *Mahzor Vitry*, rituel d'origine française. La date approximative du manuscrit peut être déduite des calendriers inclus, qui commencent avec l'an 1323.

Bibliographie : Schwab : *Manuscrits hébreux du musée de Cluny*, dans *Revue des Études juives*, L, 1905, p. 136-139.

29

29
Rituel

Ferrare, 1512
N° Inv. Cl. 13995
Don Kann, 1900

Vélin ; 407 folios (7 + 1 à 244, 250 à 397 + 3) ; les sept folios au commencement du manuscrit et les trois folios à la fin qui ne sont pas foliotés, font partie du manuscrit originel et sont réglés. 177 × 127 mm (94 × 65 mm). Écriture carrée séfarade, 1 colonne, 20 lignes écrites pour autant de réglées à l'encre. 41 cahiers à 10 feuillets, à l'exception de I⁶ et XLI⁶. Signatures en début et fin de cahiers, en lettres hébraïques.
Reliure du XVIIᵉ (?) s. en velours cramoisi, sur ais de carton, dos à quatre nerfs. Tranches dorées et peintes, décor de rinceaux. Traces de fermoirs.
Colophon f° 397v : Moïse b. Hayyim 'Aqrish, « réfugié d'Espagne », a terminé le ms. le 1ᵉʳ Adar 5272 = 18 février 1512 à Ferrare.
Censeur : f° 397v, Domenico Irosolimitano, 1600.
F° 402v transcription de la date en italien dans une écriture moderne.
Frontispice avec bordure florale.
Premiers mots écrits en caractères d'or dans un champ encadré de rinceaux d'or sur fond de couleur.
F° 1 v° le frontispice est constitué par une large bordure florale sur fond d'or, avec médaillons aux angles et au centre de chaque côté. Au centre de la barre inférieure de la bordure, un blason meublé d'un lion rampant. Les armoiries et le décor des médaillons, peints en argent, ont terni. Le titre en caractères d'or s'inscrit sur un champ rectangulaire rouge vermeil, décoré d'entrelacs d'or.
Le premier mot de chaque paragraphe est écrit en caractères d'or sur fond parchemin, dans un encadrement rouge ou bleu, orné de rinceaux d'or. Une branche aux feuilles

dorées flanque les panneaux. Aux f°s 12, 163 et 390 une bande de rinceaux multicolores sur fond or longe la justification du côté de la marge intérieure. Aux f°s 12 et 390 un médaillon avec un portrait d'homme en grisaille est placé au centre de la bande. Au f° 12, la tête est entre les initiales M I écrites en capitales romaines.
La dissonance entre l'écriture — de pur type sefarade — d'une part, les procédés de fabrication et le style des peintures — tous deux italiens — d'autre part, est caractéristique des scribes qui ont changé de pays en cours de carrière, comme c'est le cas de Moïse 'Agrish selon ses propres paroles. Il est probablement responsable de la décoration aussi, celle-ci étant semblable aux ornements de deux autres manuscrits signés par lui (Paris, Bibl. nat. coll. Smith-Lessoueff, ms. 250 ; Londres, British Library Add. Ms. 15251).

Bibliographie : Schwab, *Manuscrits hébreux du musée de Cluny*, dans *Revue des Études juives*, L, 1905, p. 136-139.

30
Rouleau des haftarott

Italie, (?), 1779
Vélin, axes en argent
Haut. du vélin 7 cm ; long. 202 cm
Haut. des axes 12,5 cm
N° Inv. Cl. 12362
Don Rothschild, collection Strauss n° 27

Le manuscrit comporte toutes les haftarott (1) de l'année en écriture carrée et les indications du rite achkenaze et sefarade, ainsi que les sources en écriture ronde.

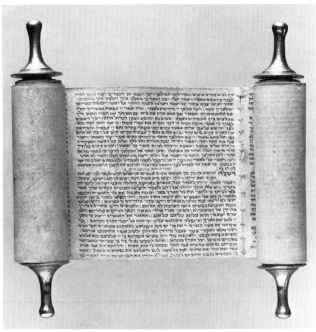

30

31

Il est daté à la fin : 539 du petit comput [1779].
Les axes en argent sont décorés d'une gravure représentant des feuillages.

(1) Les haftarott sont les lectures des écrits prophétiques qui suivent la lecture du péricope au cours de l'office.

31
Bible hébraïque

Amsterdam-Utrecht (Hollande), 1701
Les associés Gérard Borst, François Halma et Guillaume van de Water
Reliure en maroquin rouge du 19e siècle
Haut. 15,5 cm; larg. 9,5 cm
No Inv. Cl. 12359
Don Rothschild, collection Strauss no 141

Bible hébraïque sans points-voyelles suivie de la liste des Keri et Ketib et des péricopes rangés en ordre alphabétique.
1. Titre joliment gravé représentant Moïse et Aaron de chaque côté du sanctuaire.
2. Page de titre en hébreu.
3. Page de titre en latin.
4. Préface en latin de Georges Desmaretz qui se termine (fo 6) par un poème en hébreu (fo 6 vo), un poème en l'honneur de l'édition de M. Joh. Henricus Lederlin Argentoratensis [6 ff] + 293 ff + p. 294-306 (Kri u-Kctib) + (2 ff liste des péricopes).

32

Bibliographie : M. Steinschneider, *Catalogus Librorum Hebraeorum in Bibliotheca Bodleiana*, Berlin, 1931, no 712.

32
Pentateuque espagnol

Amsterdam (Hollande), 1654-1655
Reliure en écaille à fermoirs d'argent
Haut. 15,2 cm; larg. 10 cm
Nº Inv. Cl. 12293
Don Rothschild, collection Strauss nº 73

Humas o cinco libros de la Ley Divina. Juntas las *Aphtarot* del año...
Obra nueva y de mucha utilidad principalmente para los que no entienden los commentarios Hebraïcos.
Compuesta por il Hacham Menasseh Ben Israël y por su orden impresa
En Amsterdam Año 5515 [= 1655]
Aphtarot : 5514 [= 1654]
Dédicace à Coenraad van Beuningen : ...Pensionario... de Amsterdam y embaxador a... la Reyna de Suedia, daté du 25 de Hebr. (?) 5415 et préface de Menasseh Ben Israël (1).
1. Titre + 3 ff + 45 + (1 p Tabla de las Parasiot + 4 p Harmonia Mosaica).
2. 127 pp | (5 pp : Tabla).
Cette traduction espagnole du Pentateuque a été imprimée à Amsterdam à l'intention des nombreux Marranes qui, grâce à la liberté religieuse régnant aux Pays-Bas, pouvaient revenir au judaïsme.

Bibliographie : M. Kayserling, *Biblioteca Española Portuguesa Judaica*, Strasbourg, 1890, p. 29.
J.S. Da Siva Rosa, *Catalogue*, Amsterdam, 1927, nº 62.
Fuks-Gans, *Catalogue*, Amsterdam, 1957, nº 68.

(1) Coenrad van Beuningen était le bourgmestre d'Amsterdam.

33
Sidour

Nuremberg (Allemagne), 1768
Reliure en parchemin teint
Fermoirs en argent
Haut. 23 cm; larg. 17 cm
Nº Inv. Cl. 12292
Don Rothschild, collection Strauss nº 72

סדר התפלה של מוהר״ר מיכל עפשטיין זצ״ל מכל השנה כמנהג אשכנז ופולין כמו שנדפס באמשטרדם בשנת תקכח
Rituel de prières pour toute l'année selon le rite allemand et polonais, ordonné par R. Michael Epstein, semblable à l'édition d'Amsterdam de 528 [1768].

Titre gravé, signé I.S.Leitner Fec NBGa représentant les trois patriarches ayant institué les trois prières journalières. Dans des médaillons les fêtes de la Pentecôte, des Cabanes, de la Pâque et du Nouvel An.
Marque d'imprimeur d'Aaron de Salomon Antunes ha-Lévi. (1716-1720) (1)

33

Deuxième page de titre en typographie :

סדר תפלה דרך ישרה אשר אזן... כמוהר״ר יחיאל מיכל בהר״ר אברהם ז״ל סג״ל אפשטיין ... נדפס בדפוס חדש יפה ומהודר בנ״ב באותיות אמשטרדם בשנת שומע תפלה עדיך כל בשר יבאו לפק

Livre de prières ordonné par Yehiel Michaël b. Abraham Segal Epstein... imprimé sur les presses nouvelles établies à NB (2) avec les caractères d'Amsterdam en l'an du petit comput 526 [1766].

Préfaces réservant les droits, par R. Joseph Steinhart, rabbin à Fürth, Nissan 526 [1765], de R. Abraham b. Zbi Hirsh, rabbin à Francfort-sur-le-Main, AB 526 [1766] et de R. Nathaniel Achkenazi Weil de Prague, rabbin de Karlsruhe, Iyar 526 [1766].
(4) + 193 + 96 + 6 ff.

ספר תהלים
Livre des Psaumes, avec titre à part, 102 + (1) ff.

סדר תחינות
Prières de supplication.

Prières en judéo-allemand avec titre à part. (1) + 12 ff.
Il s'agit de la cinquième édition de ce rituel de prières très répandu, imprimé sur des presses nouvellement établies à Nuremberg. Cette édition très soignée semble être inconnue des bibliographes.
Reliure en parchemin teint en rose, gravé et doré avec appliques en argent repoussé; elle est assujettie par un fermoir. Tranche gravée et dorée.

(1) Yaari : nº 95. Cette marque a dû entrer en possession de l'imprimeur de Nuremberg, avec le matériel typographique acheté à Amsterdam (mentionné sur la deuxième page de titre).
(2) N.B. En petits caractères pour Nuremberg. En revanche, Amsterdam en gros caractères car l'imprimeur était intéressé à faire passer son livre pour une impression amstellodamoise. Amsterdam était considérée à cette époque comme la capitale de l'édition hébraïque.

34
Livre de prières

Italie, fin du 18e siècle
Reliure en argent repoussé
Haut. 5,4 cm; long. 17,4 cm; larg. 11,7 cm
No Inv. Cl. 12291
Don Rothschild, collection Strauss no 71

Livre de prières pour toute l'année en deux parties selon le
rite italien, imprimé à Venise, chez Bragadini en 1772.
Il est gravé et doré sur tranche. La reliure dans le goût
vénitien est décorée d'un écusson, gravé des initiales C.M.,
et entourée d'une riche ornementation de volutes et de rinceaux. Elle est maintenue par deux fermoirs.

34

Le mariage

Une des trois manières de contracter un mariage, mentionnées dans la Mishna (1) consiste dans la déclaration solennelle du marié, faite en présence d'un « quorum de dix » (minyan) appuyée par un geste symbolique d'acquisition. Le légalisme juif, en effet, aime à accompagner les déclarations verbales d'un acte concret et dans le cas présent il consiste dans la remise d'un bijou ou d'une pièce de monnaie. Depuis de longs siècles, la tradition s'est établie en Europe de glisser, dans ce but, une bague au doigt de la mariée. Il ne s'agit pas d'échange d'anneaux, mais d'un acte unilatéral. Ce geste veut perpétuer le principe d'acquisition pratiquée dans la haute antiquité et c'est précisément la bague de mariage qui, par la suite, en symbolisera le prix. Il existe dans les grandes collections de bijoux anciens et d'objets rituels juifs un nombre considérable de ces joyaux, dont on trouve déjà la trace dans des documents du Moyen Age. Ainsi le fragment de la Ketouba de Krems (2), datée de 1392, est enluminé d'une peinture représentant une scène de mariage et la bague avec son chaton pointu ressemble fort à celle du 16e siècle de la collection de Cluny (n° 34). Il n'y a aucune raison de supposer que la partie pointue serait une sertissure d'où on aurait retiré une pierre précieuse, comme le suggère le Rabbin Pappenheim. (3) Dans la « Seconde Haggada de Nuremberg » (4), qui date de la fin du 15e siècle, on aperçoit également une scène de mariage et ici encore le marié tend à la mariée un anneau large, surmonté d'un édicule. Enfin l'inventaire de la Kunstkammer de Munich daté de 1598 mentionne une bague juive gravée d'une inscription hébraïque (5). Il n'est pas certain cependant qu'il s'agisse d'un anneau de mariage.

Une bague très élaborée, qui se trouvait dans la collection Feinberg à Detroit porte la date de 1690 (6). Si cette bague est authentique, nous serions en présence de l'exemplaire daté le plus ancien.

Toujours est-il que l'on peut considérer un grand nombre de ces bagues comme authentiques et les plus anciennes venues jusqu'à nous, datent probablement de la fin du 15e siècle.

Il peut être intéressant de noter qu'au Musée National d'Athènes est conservée une bague en or, inventoriée sous le numéro ST.517. Cette bague qui date de l'époque byzantine est un anneau surmonté d'un édicule à larges baies. La parenté avec les bagues de mariage analysées ici est claire ; cependant aucune inscription ne confirme son caractère juif.

L'influence byzantine sur l'art de Venise n'est plus à démontrer. Or les bagues les plus anciennes, dont l'origine est indubitable, sont celles faites à Venise. On pourrait imaginer que la bague byzantine est en effet juive et que ce modèle ait été imité par les orfèvres vénitiens. Mais même au cas où la bague byzantine ne serait point juive, il n'est pas exclu que le modèle ait plu et ait été reproduit afin de visualiser la fondation d'un foyer.

Dans la grande série de très belles bagues conservées à Cluny il en est une qui aurait pu démontrer l'antiquité de ce modèle de bague juive. Celle cataloguée sous le n° 20658 figure à l'inventaire parmi une quantité de bijoux en or et de pièces de monnaie. Tout ce trésor aurait été découvert « en mai 1863 dans l'épaisseur d'une muraille de la maison sise à Colmar (Haut-Rhin) rue des Juifs ».

La monnaie la plus récente faisant partie de ce trésor est au nom de Louis de Bavière, mort en 1347. Elle indiquerait une date limite au trésor et l'on aurait pu dater la bague du milieu du 14e siècle. Malheureusement il n'est pas du tout certain que la bague faisait réellement partie du trésor. La découverte date de 1863, la donation de 1923. Il se pourrait qu'au cours de ces soixante années, des pièces qui n'ont pas été mises à jour dans la trouvaille de Colmar, y aient été adjointes.

Il semble par ailleurs difficile de maintenir qu'elle date du 14e siècle pour des raisons d'ordre stylistique.

Le dôme hexagonal émaillé est décoré sur deux registres, qui sont bordés par des chaînettes dans l'esprit de celles que nous retrouvons sur les bagues vénitiennes datant du 16e siècle (voir no 40).

Il semble difficile dans ces conditions de continuer à lui attribuer une origine française du 14e siècle. La provenance de Venise, où ces formes architecturales sont familières, est bien plus vraisemblable.

Le célèbre brûle-parfum conservé à la basilique San Marco (7) est surmonté d'un dôme qui n'est pas sans rappeler celui de la bague et les couleurs de l'émail sont celles qui éclairent la façade du palais des doges. On peut cependant la considérer comme une des plus anciennes connues à ce jour et proposer de la faire remonter à la fin du 15e siècle ou au début du 16e siècle.

La taille exceptionnellement grande de certaines de ces bagues ne doit pas étonner, il est probable qu'elles aient été portées sur un gant.

La formule Mazal Tov est une survivance des temps anciens, où la croyance à l'influence des astres sur la destinée humaine était très répandue. En souhaitant « Mazal Tov » on exprime le vœu que l'événement (dans ce cas le mariage) bénéficie d'une configuration favorable des astres.

35

(1) Kidoushin I, 1.
(2) Bibliothèque Nationale Vienne, Cod. hebr. Ms. 218.
(3) *The Jewish Wedding*, p. 47.
(4) Actuellement dans la Bibliothèque Schocken, Jérusalem, fol. 12 vo.
(5) Cité par Rabb. Pappenheim dans *Jewish Wedding*, p. 46.
(6) Reproduit dans *Enc. Jud.*, vol. 16, p. 458.
(7) *Venezia e Bisanzio*. Exposition à Venise 8 juin-30 septembre 1974, no 44.

35
Bague de mariage

Italie, fin 15e siècle-début 16e siècle
Or, émail
Diam. de l'anneau : 2,2 cm
Haut. du chaton : 1,2 cm
Haut. de la bague : 3,5 cm
No Inv. Cl. 20658
Acquis en 1923

Bague or allié, ciselé et émaillé. Corps de bague terminé, à droite et à gauche du chaton, par une tête d'animal chimérique engoulant une tige de marguerite qui raccorde le chaton à l'anneau. Chaton en forme d'édicule hexagonal, à parois ajourées en rangs d'arcatures que borde une frise perlée, au-dessus de laquelle s'érige le toit conique à six pans ; chacun des six pans est à décor champlevé, émail rouge, présentant en réserve un signe hébraïque formant l'inscription : Mazal Tov. L'émail est tombé sur trois pans qui alternent avec les pans émaillés. Au sommet du toit, amortissement d'une petite perle en or, et six perles plus petites aux six angles de la frise qui court à la base du toit.

36

38

37

39

36
Bague de mariage

Italie, 16ᵉ siècle
Or et émail
Larg. de l'anneau 1,6 cm; diam. int. 2 cm
Nᵒ Inv. Cl. 12277
Don Rothschild, collection Strauss nᵒ 49

Le décor de l'anneau entre deux fils tors est fait de cinq boutons arrondis terminés chacun par une rosace émaillée et séparés par des motifs ancrés également émaillés, et d'un chaton ouvrant en forme de toiture à imbrications émaillées. A l'intérieur est gravée la formule מזל טוב : *Mazal Tov.*
Deux bagues très similaires sont conservées au Schmuck-museum (Musée du Bijou) à Pforzheim (Allemagne Fédérale), nᵒˢ d'inv. 2009/403 et 2009/405.

37
Bague de mariage

Italie, 16ᵉ siècle
Or
Larg. de l'anneau 1,8 cm
Nᵒ Inv. Cl. 12278
Don Rothschild, collection Strauss nᵒ 50

Le décor de l'anneau entre deux chaînettes est fait de rinceaux et de perles d'or. Le chaton est en forme de maison à deux étages, contournés de balustres et percés à jour; le second porte une toiture à deux lucarnes.

38
Bague de mariage

Allemagne (?), 16ᵉ siècle
Or
Larg. de l'anneau 1,1 cm; diam. int. 2 cm
Nᵒ Inv. Cl. 12279
Don Rothschild, collection Strauss nᵒ 51

Le décor est fait de simples lignes gravées entre deux bords torsadés.
Le chaton est en forme de maison aux pans percés d'ouvertures; sur le toit est gravée la formule מזל טוב : Mazal Tov.

39
Bague de mariage

Italie, 16ᵉ siècle
Or
Larg. de l'anneau 1,8 cm; diam. int. 2 cm
Nᵒ Inv. Cl. 12280
Don Rothschild, collection Strauss nᵒ 52

Le décor à deux registres bordés de chaînettes est fait de mufles de lions tenant un anneau dans la gueule. Le chaton est orné de deux lions couchés; maintenu par un crochet, il ouvre comme un livre et contient deux feuillets d'or articulés. Le feuillet intérieur était gravé d'une inscription hébraïque qui a été effacée, l'autre est gravé de la formule מזל טוב : Mazal Tov.
Une bague à décor comparable est conservée au Schmuck-museum (Musée du Bijou) à Pforzheim (Allemagne Fédérale), nᵒ inv. 2009/413 (« Venise, 16ᵉ siècle »).
Une bague similaire est conservée au Musée Juif de Londres (Barnett nᵒ 456) provenant de la collection Franklin et cataloguée « probablement italienne, début du 17ᵉ siècle ».

40
Bague de mariage

Italie, 16e siècle
Or
Larg. de l'anneau 2 cm; diam. int. 2 cm
No Inv. Cl. 12307
Don Rothschild, collection Strauss no 95

Le décor de l'anneau représente entre deux grosses chaînettes, six boutons arrondis formés chacun de neuf quartiers décorés de filigranes et de perles et amortis par une perle d'or; ils sont séparés par une petite grappe de sept perles d'or accompagnée de deux motifs de filigranes. A l'intérieur sont gravées les initiales ט מ pour מזל טוב : Mazal Tov.

41
Bague de mariage

Italie, 16e-17e siècle
Or et émail
Haut. 2 cm; diam. 2,2 cm
No Inv. Cl. 20692
Don Salomon de Rothschild, 1923

Sur l'anneau sont disposés six boutons arrondis et ajourés décorés de filigranes et de perles d'or. Ils sont accompagnés de rosaces émaillées bleu et de perles d'émail. L'anneau est bordé de deux chaînettes.
A l'intérieur de l'anneau sont gravées les initiales ט מ pour מזל טוב : Mazal Tov d'une écriture achkenaze carrée.

42
Bague de mariage

Italie, 17e siècle
Or
Larg. de l'anneau 2,1 cm; diam. int. 2,3 cm
No Inv. Cl. 12284 a
Don Rothschild, collection Strauss no 56

Le décor de l'anneau en deux registres, bordés par trois chaînettes, est formé sur chacun de six boutons formés de huit quartiers à filigranes en S et amortis par une rosace de perles d'or; entre les boutons deux perles d'or. A l'intérieur est gravée la formule מזל טוב : Mazal Tov.

43
Bague de mariage

Italie, 17e siècle
Or
Larg. de l'anneau 1,8 cm; diam. int. 2,1 cm
No Inv. Cl. 12284 b
Don Rothschild, collection Strauss no 57

Le décor de l'anneau en deux registres, bordé par trois chaînettes, est fait sur chacun de dix boutons en forme d'édicule à dôme amorti par une perle d'or; entre les boutons deux perles d'or. A l'intérieur sont gravées les initiales ט מ pour מזל טוב : Mazal Tov.

40

42

41

43

44
Bague de mariage

Italie, 16e-17e siècle
Or et émail
Larg. de l'anneau 2,3 cm
No Inv. Cl. 12281
Don Rothschild, collection Strauss no 53

Bordé de chaînettes, l'anneau est décoré de six boutons arrondis et ajourés, décorés de filigranes et de perles d'or, accompagnés de rosaces émaillées bleu et de feuilles émaillées vert.
A l'intérieur sont gravées les initiales מ ט pour מזל טוב : Mazal Tov.

45
Bague de mariage

Italie, 17e siècle
Or
Larg. de l'anneau 1,9 cm; diam. int. 2,2 cm
No Inv. Cl. 12285 a
Don Rothschild, collection Strauss no 58

Le décor de l'anneau représente, entre deux chaînettes, six boutons arrondis et ajourés formés chacun de huit quartiers ornés de filigranes et amortis par une perle d'or; ils sont entourés par un cercle de filigrane et séparés par des crosses de filigrane et des perles d'or. A l'intérieur sont gravées les initiales מ ט pour מזל טוב : Mazal Tov.

46
Bague de mariage

Italie, 17e siècle
Or
Larg. de l'anneau 2 cm; diam. int. 2,2 cm
No Inv. Cl. 12285 b
Don Rothschild, collection Strauss no 59

Le décor de l'anneau représente, entre deux chaînettes, six boutons arrondis et ajourés formés chacun de huit quartiers ornés de filigranes et amortis par une perle d'or; ils sont entourés par un cercle de filigrane et séparés par des crosses de filigrane et des perles d'or. A l'intérieur sont gravées les initiales מ ט pour מזל טוב : Mazal Tov.

47
Bague de mariage

Italie, 17e siècle
Or
Larg. de l'anneau 2,7 cm; diam. int. 2 cm
No Inv. Cl. 12308
Don Rothschild, collection Strauss no 96

Le décor de l'anneau représente sur chacun des trois registres, bordés par quatre chaînettes, neuf boutons en forme d'édicule à dôme amorti par une perle d'or; entre les boutons deux perles d'or. A l'intérieur est gravée la formule מזל טוב : Mazal Tov.
Une bague très similaire se trouve dans la collection de Mr. et Mrs. B. Zucker, à New York (1).
A comparer avec les nos 48 et 49.

(1) Catalogue *Jewish Wedding*, no 148.

44

45

46

47

48

49

48
Bague de mariage

Italie, 17e siècle
Or et émail
Larg. de l'anneau 1,9 cm; diam. int. 2,2 cm
No Inv. Cl. 12282
Don Rothschild, collection Strauss no 54

Le décor de l'anneau en deux registres est bordé par trois chaînettes. Il représente sur chaque registre cinq boutons en forme d'édicule à dôme amorti par une perle d'or; entre les boutons, rosaces émaillées bleu, cantonnées chacune de quatre perles d'or. A l'intérieur sont gravées les initiales ט מ pour מזל טוב : Mazal Tov.
A comparer avec les nos 47 et 49.

49
Bague de mariage

Italie, 17e siècle
Or et émail
Larg. de l'anneau 1,2 cm; diam. int. 2,2 cm
No Inv. Cl. 12283
Don Rothschild, collection Strauss no 55

Un seul registre, bordé par deux chaînettes, est décoré de cinq boutons en forme d'édicule à dôme, amorti par une perle d'or; entre les boutons, rosaces émaillées vert, cantonnées de quatre perles d'or.
A comparer avec les nos 47 et 48.

50
Bague de mariage

Italie, 16e-17e siècle
Or
Larg. de l'anneau 1,5 cm; diam. int. 2 cm
No Inv. Cl. 12286
Don Rothschild, collection Strauss no 60

Entre deux chaînettes en bordure, sont appliquées sur l'anneau des lettres hébraïques en relief formant les mots מזל טוב : Mazal Tov. Elles sont séparées par des fleurs de lis symétriques avec une petite rosace au centre. Le fond est amati.

51
Bague de mariage

Italie, 17e siècle
Bronze doré
Larg. de l'anneau 1,1 cm; diam. int. 2,3 cm
No Inv. Cl. 12287 a
Don Rothschild, collection Strauss no 61

L'anneau bordé de fils tors est serti des six lettres formant la formule מזל טוב : Mazal Tov, séparées par des fleurons symétriques; fond amati.

52
Bague de mariage

Italie, 17e siècle
Bronze doré
Larg. de l'anneau 1,1 cm; diam. int. 2,2 cm
No Inv. Cl. 12287 b
Don Rothschild, collection Strauss no 62

L'anneau, bordé de fils tors, est serti des six lettres formant la formule מזל טוב : Mazal Tov, séparées par des fleurons symétriques; fond amati.

53
Bague de mariage

Italie, 17e siècle
Bronze doré
Larg. de l'anneau 1,2 cm; diam. int. 2,2 cm
No Inv. Cl. 12287 c
Don Rothschild, collection Strauss no 63

L'anneau bordé de chaînettes est serti des six lettres formant la formule מזל טוב : Mazal Tov, séparées par des fleurons symétriques.

50

52

51

53

54
Ceinture de mariage

Allemagne, 17e siècle
Bronze argenté et doré
Long. 113 cm
No Inv. Cl. 12302
Don Rothschild, collection Strauss no 90

La ceinture comporte sept éléments allongés de bronze fondu et argenté, décorés d'une tête de femme et une boucle dorée de forme triangulaire.
Ces éléments sont reliés par de triples chaînettes.
Suivant une ancienne coutume en milieu achkenaze — surtout en Allemagne — le fiancé offrait parmi les cadeaux, une ceinture en métal précieux à sa fiancée. Cette ceinture est appelée *Sivlonot Gürtel* (*Sivlonot* en langage talmudique : « cadeau de mariage », *Gürtel :* « ceinture » en allemand) Elle s'en paraît pendant la cérémonie. Parfois la fiancée offrait en retour à son fiancé une autre ceinture qu'il portait également sous le dais nuptial.
Sur un tableau de Moritz Oppenheim (1800-1882), conservé au Musée d'Israël, est représentée une scène de mariage où l'on distingue les mariés portant chacun un « Sivlonot Gürtel », et les deux ceintures sont liées par une troisième.
Un ensemble de trois pièces est reproduit dans Bialer, p. 17.
Une ceinture semblable figure dans Shahar, p. 47, fig. 81.

54

55

55
Epithalame

Italie, 1736 (?)
Satin
Haut. 61 cm; larg. 46,5 cm
N° Inv. Cl. 12311
Don Rothschild, collection Strauss n° 100

Le poème a été composé à l'occasion du mariage d'Israël fils de Jacob Haim Cohen avec sa cousine Miriam, fille de Samuel Menahem Cohen.
Le texte est calligraphié sur du satin blanc cassé, certains mots, notamment les noms ou leurs initiales, sont brodés en fils d'argent. Il se présente dans un cadre rectangulaire, entouré d'une riche broderie multicolore en fils de soie, représentant des guirlandes de fleurs.
Cette broderie est du même genre que les beaux rideaux de Tabernacle faits à Venise au 18e siècle.
A la fin du poème le mot חמר est signalé deux fois. Si ces mots renferment la date (496), la broderie a été exécutée en 1736, date qui correspond parfaitement avec son style.

56
Ketouba

Modène (Italie), 1752 (?)
Parchemin
Haut. 88 cm; larg. 61 cm
N° Inv. Cl. 12294
Don Rothschild, collection Strauss n° 74

Modène, Jeudi le 12 Sivan de l'an... (date effacée, mais très vraisemblablement 5512) de la création du monde [1752].
Le marié : Nathan, fils d'Elia Molho, de mémoire bénie.
La mariée : Gracia, fille d'Israël Ha-Levi Orso, de mémoire bénie.
Les témoins : Menasse Josué fils du Rabbin Juda Masliah Padoue, de mémoire bénie,
Abraham Hai, fils du Rabbin Nethanael Gracia, de mémoire bénie.
Signatures et cachets de Moïse de Rafael Vita Naso, Publico Tradutor.
Dans un espace carré divisé en deux parties, délimitées par trois colonnes torses et les arcades qu'elles supportent sont écrits à droite la « Ketouba » en caractères carrés et à gauche les « Tenaïm » — conditions particulières — en caractères ronds de type sefarade.
Le carré est encadré par une bande où sont représentées, aux angles dans des médaillons, les quatre saisons, symbolisées par la récolte, les vendanges, les jardins en fleurs et un homme assis au coin du feu. Les 12 signes du zodiaque et un homme assis au coin du feu. Les 12 signes du zodiaque (1) sont entrecoupés par quatre vignettes, une au milieu de chaque côté, illustrant le Psaume CXXIIX.

En haut : אשרי כל־ירא יי
heureux l'homme qui craint le Seigneur
un homme suivi d'un enfant s'approche de la synagogue

A gauche : יגיע כפיך כי תאכל
le fruit de ton labeur tu le mangeras
un homme travaillant aux champs

En bas : אשתך כגפן פ'
ta femme sera comme une vigne féconde
une femme assise sous une vigne

A droite : וראה בנים לבניך
puisses-tu les voir les fils de tes fils
trois générations se tenant par la main.

Un texte hébraïque entoure ce cadre sur trois côtés. Il s'agit des versets 11 et 12 du chapitre IV du Livre de Ruth. Il fait partie des textes qui reviennent traditionnellement dans les contrats de mariage. Car non seulement il contient une bénédiction pour le jeune couple, mais c'est de ce texte que les rabbins du Talmud ont déduit un grand nombre de lois relatives à la cérémonie du mariage. Sur un fragment de Ketouba conservé à la Bibliothèque Nationale et Universitaire de Jérusalem et daté de Segura (Espagne) des années 1480, le même texte est disposé déjà autour des termes de la Ketouba (2).

52

Au-dessus une bande richement décorée d'arabesques, de fleurs et d'oiseaux supporte la formule traditionnelle בסימנא טבא ובמזלא מעליא : *Sous un bon signe! Sous une bonne étoile!* Dans les arabesques on lit צרור המור דודי לי : *Mon bien-aimé est comme un bouquet de myrrhe* (Cant., I-13). La Ketouba se termine en haut par un espace triangulaire légèrement arrondi, décoré d'un blason supporté par deux putti au milieu d'un décor d'oiseaux, de rinceaux et de fleurs. De chaque côté est écrit le texte du verset XII-4 des Proverbes :

אשת חיל עטרת בעלה : *Une femme vertueuse est la couronne de son époux.*

Le blason couronné est séparé en deux parties. Le registre supérieur correspond probablement aux armes de la famille Molho; la partie inférieure montre un ours (Orso) accomplissant le service des Lévi (Lévi-Orso).

(1) Le signe de la Vierge comporte une représentation de la Licorne.
(2) Collection des Ketubot, n° 36.

57
Ketouba

Ancône (Italie), 1775
Parchemin
Haut. 72 cm; larg. 56 cm
N° Inv. Cl. 12295
Don Rothschild, collection Strauss n° 75

Le parchemin est d'une découpe irrégulière dans sa partie supérieure.
Ancône, vendredi, le 12 Tichri de l'an 5536 de la création du monde [automne 1775].
Le marié : Moïse David fils d'Obadia Israël de Obadia.
La mariée : Simha, fille de Guedalia de Sinigaglia, originaire de Lugo.
Les témoins : Josué Sabbetaï fils de Samuel d'Ascoli, Seloumiel fils de Josué Elia de Pisa.
Le texte comporte la Ketouba, écrit en caractères carrés, et les Tenaïm — conditions spéciales — écrits en caractères ronds de type italien. Le texte est disposé dans un cadre carré étroit, décoré de rinceaux et d'oiseaux. Le cadre extérieur est également décoré de rinceaux et de fleurs, mais comporte en outre de chaque côté six médaillons enluminés et ajourés représentant les signes du zodiaque. Une scène dans la bande inférieure, également ajourée, représente le Jugement de Salomon. Dans la partie supérieure sur un cartouche en forme de cœur on lit :

קול ששון וקול שמחה קול חתן וקול כלה
Les accents d'allégresse les cris de joie le chant du fiancé le chant de la fiancée. (Jer., XXXIII-11).

Dans une bordure, qui suit le contour du parchemin, sont calligraphiés les textes traditionnels. (Ruth, IV-11-12, Prov., XXXI-11 et Prov., XXXI-3).

La scène illustrée ne semble avoir aucun rapport avec le nom du marié. Ne pouvant proposer une illustration plus adéquate, le scribe a probablement imposé le formulaire dont il disposait. Une Ketouba, œuvre du même artiste sans doute, également ajourée et datée d'Ancône, 1772, se trouve à la Bibliothèque Nationale et Universitaire de Jérusalem, collection des Ketubot, n° 123.

Médailles

58
Médaille uniface

Italie, 16e siècle
Bronze
Diam. 6,5 cm
Reproduction du 19e siècle en galvanoplastie d'un original
du 16e siècle
No Inv. Cl. 12332
Don Rothschild, collection Strauss no 120

Portrait de Gracia Nassi à gauche. Légende en hébreu et
en latin.
A gauche נשיא . גרציאה : Gracia Nassi.
A droite A. A. XVIII (initiales de *Anno Aetatis XVIII*,
dans sa 18e année).
Sur le haut du bras la lettre P, initiale de Pastorino, le
médailleur.
Gracia Nassi était l'épouse de Don Samuel (Moïse) Nassi
de Ferrare, frère de l'illustre Don Joseph Nassi, de Constantinople, plus tard Duc de Naxe.
Cette médaille faite lorsque Gracia avait 18 ans, date de
l'année 1556.

Bibliographie : Stern, p. 45. - Friedenberg, p. 44 ss.

59
Shekel de Goerlitz

Allemagne, 16e siècle
Argent fondu
Diam. 3,4 cm
No Inv. Cl. 21900
Don Rothschild, collection Strauss no 101

Avers : Amandier ירושלים הקדושה : *Jérusalem la Sainte.*
Revers : Encensoir שקל ישראל : Shekel d'Israël.
Exemplaire cerclé du premier type.

60
Shekel de Goerlitz

Allemagne, 16e siècle
Argent fondu
Diam. 3,4 cm
No Inv. Cl. 12314
Don Rothschild, collection Strauss no 101

Avers : Amandier ירושלים הקדושה : Jérusalem la Sainte.
Revers : Encensoir שקל ישראל : Shekel d'Israël.
Exemplaire du premier type.

58

59

60

61

61
Shekel de Goerlitz

Allemagne, 17e siècle
Argent fondu
Diam. 3,3 cm
No Inv. Cl. 20097
Don Rectlinger, 1915

Même description que le no 60
Exemplaire d'une fonte plus tardive.
Ces médailles qui ont été faites pour être vendues comme des monnaies juives antiques, et notamment comme les pièces d'argent que Judas Iscariot aurait reçues comme salaire de la trahison, sont appelées en général « Shekel de Gœrlitz », du nom d'une petite ville où on a commencé à les commercialiser au 16e siècle. Depuis, on en a fait des centaines de répliques, de sorte que certaines d'entre elles n'ont plus rien de commun avec celles du 16e siècle.
Elles ont été étudiées longuement par G.F. Hill et par Bruno Kisch. Cependant, ni Hill, ni Kisch n'ont tenté d'expliquer le problème que présente l'iconographie de ces médailles, notamment *la fumée qui se dégage de la coupe.*
Il ne fait pas de doute que ces pièces ont été fabriquées pour tromper les numismates et les fidèles à la recherche de pieuses reliques; les deux auteurs sont d'accord sur ce point. Comment se fait-il alors, que ces médailles présentent cette particularité qui n'existe pas sur les monnaies authentiques? Hill et Kisch citent des auteurs de la Renaissance, comme les théologiens Arias Montana et Melanchton ayant tous les deux consacré des études à l'archéologie et la numismatique biblique, ainsi que Nahmanide (1195-1270), le grand commentateur juif de la Bible, mais cité seulement parce qu'il est mentionné dans l'œuvre de ces deux théologiens chrétiens.
D'ailleurs la description du Shekel faite par Nahmanide ne peut être à l'origine de ce type fantaisiste, car il avait reconnu dans le calice, la coupe dans laquelle Aaron avait déposé « un plein ômer de manne devant l'Eternel » (1) et la manne ne dégageait pas de fumée.
Si Hill et Kisch ont eu connaissance des écrits d'érudition chrétienne de la Renaissance, il semble en revanche qu'ils ont ignoré une source juive précieuse qui apporte la solution au problème.
Le médailleur n'ayant pas de modèle du Shekel antique sous les yeux, a dû réinventer le type de la monnaie. Il semble qu'il s'est adressé à un Juif lettré qui avait connaissance de la description figurant dans la littérature rabbinique, mais qui n'avait jamais vu ni de Shekel antique ni l'ouvrage de W. Postell qui comporte la seule illustration de cette monnaie publiée avant 1572, gravée probablement d'après une pièce authentique (2).
Or, en 1549 a paru à Venise l'édition princeps de *Kaftor Va-Ferah.* Dans ce livre Isaac b. Moïse Estori ha-Farhi donne une description détaillée, bien qu'erronée, du Shekel. Farhi (1280-1335) est le premier topographe d'Erets Israël. Sa famille, originaire de Florenza en Andalousie (d'où le nom Farhi : « fleur ») se serait établie en Provence où est né Isaac. Cependant il dit de lui-même au début de la préface de son livre *Kaftor Va-Ferah...* ainsi dit le serviteur du Seigneur « Ich Tori », ce qui semble signifier

« Homme de Tours » (Touraine, France). Toujours est-il, qu'après expulsion des Juifs de France par Philippe le Bel en 1306, il se met en route pour l'Espagne, le Caire, et la Terre Sainte. Là il semble avoir eu l'occasion d'examiner des monnaies juives antiques. Au f° 92 v° de *Kaftor Va-Ferah* il écrit : « *...j'ai eu entre les mains un denier* (?, peut-être un exemplaire) *de la monnaie* [appelée] *Shekel selon le poids du Sanctuaire, qui est en argent pur, gravé d'une légende circulaire dans l'écriture des Samaritains, qui est l'écriture vulgaire* (« hédiot ») *et comme nous avons mentionné,* [montre] *sur une face un* encensoir, *et sur l'autre un amandier chargé de* « trois fleurs ».

Il est clair que ce sont les indications de Farhi qui ont guidé la main du médailleur. En effet, les trois boutons de grenade figurant sur le vrai Shekel sont transformés en « amandier » chargé de trois fleurs et la coupe dont est ornée la monnaie antique est devenue un « encensoir ».

Pour bien faire ressortir ce caractère, le graveur a fait surmonter la coupe d'une *fumée*.

Reste le problème de la forme des lettres.

Kisch a bien démontré que ces premières « médailles du Shekel » ont été frappées vers 1550 par un médailleur nommé Milicz.

S'il s'est servi des caractères carrés, en dépit des indications très nettes de Farhi, c'est sans doute parce qu'il ne disposait pas de modèle de « l'écriture des Samaritains ».

L'œuvre célèbre *Meor Enayim* d'Azaria de Rossi où figurent au folio 171 recto un alphabet « samaritain » et au verso une reproduction relativement fidèle du Shekel antique n'a paru qu'en 1574-75 à Mantoue.

Le médailleur qui créa son type au milieu du 16e siècle composa donc la légende en caractères carrés du type allemand gothisant.

Bibliographie : Hill, G.F., *The Medallic Portraits to Christ, The False Shekels,* The Clarendon Press Oxford, 1920.
Kish, Bruno, *Shekel Medals and false Shekel* dans *in Historia Judaica,* 1941, III, p. 67-101.
Kisch, Bruno. *The engraver of the first Shekel medals* dans *Historia Judaica,* 1942, IV, 1, p. 71-73.

(1) Ex., XVI-33.
(2) W. Postell, *Linguarum duodecim characteribus differentium alphabetum,* Paris 1538.

62
Médaille

Bronze
Diam. 6,2 cm
N° Inv. Cl. 12333
Don Rothschild, collection Strauss n° 121

Avers : Le roi Salomon coiffé de la couronne antique à gauche.
שלמה המלך : *le roi Salomon.*

Revers : Architecture de style antique.
היכל שלמה : *le temple de Salomon.*

Surmoulage d'une médaille datant probablement du 16e siècle.
Un exemplaire de cette médaille est reproduit dans *Cippi Hebraici...* de Joh. Henr. Hottinger, Heidelberg, 1667.

62

63
Médaille

France, 1827
Bronze
Diam. 3,4 cm
Nº Inv. Cl. 12313
Don Rothschild, collection Strauss nº 101

Avers :
Aaron le Grand Prêtre   (!) אהרן כהן הגדול
Représentation d'Aaron à gauche, vêtu des ornements
sacerdotaux.

Revers :   וישא אהרן את ידיו אל העם ויברכם
et Aaron étendit ses mains vers le peuple et le bénit.
L'arche sainte surmontée des chérubins.

Dessous : תקכ״ז 527 (erreur pour 587, 1827)
Sur la tranche : *Aaron Paris* 1827.
Cette médaille, qui fait partie d'une série représentant des
personnages de l'Ancien Testament, est l'œuvre du médailleur Barre. On connaît, en outre, dans la même série, les
médailles représentant Moïse et le roi David.

63

Mezouza

64
Mezouza et son étui

Allemagne 17-18e siècle
Buis
Haut. 16 cm; larg. 3,5 cm; prof. 2,2 cm
No Inv. Cl. 12318
Don Rothschild, collection Strauss no 103

La mezouza est un petit rouleau de parchemin sur lequel sont calligraphiés, traditionnellement en vingt-deux lignes, deux passages du Deutéronome, IV-4-9 et XI-13-21.
Ce rouleau est fixé au poteau de la maison et sur les portes conformément à ces textes : « inscris-les [paroles de Dieu] sur le poteau de ta maison et sur tes portes ».
La mezouza a pour fonction de rappeler le caractère sacré du foyer, il est un memento contre la mauvaise conduite plus qu'une amulette.
Maïmonide (Yad hahazaka, Téfiline 5-4) interdit d'y voir une amulette, genre d'objets dont il proscrit l'usage.

L'étui a une forme architecturale à laquelle l'arrondi de la fenêtre confère un cachet roman. Il se termine en haut par deux têtes d'aigle adossées. Derrière la fenêtre se trouve le rouleau de parchemin.

Un étui semblable attribué à la région de Cassel, Allemagne, est reproduit dans *Mitteilungen*, III-IV, 1903, p. 68, fig. 98.

64

La Pâque

65
Plat pour le Séder

Europe occidentale, 1806
Étain
Diam. 38 cm
Nº Inv. Cl. 21689
Don Luville, 1933

Le plat est gravé dans son centre d'une étoile de David.
Dans l'hexagone on lit :

שייך להקצי׳ כמר יעקל עם זוגתו בילה שי׳ ותי׳

*appartient au notable, l'honorable Yankel et à son épouse
Bella qu'il vive! qu'elle vive!*

Entre les six pointes de l'étoile : – פסח – מה[2] – כהא[1]
מצה – ומרור תקס׳׳ו לפ׳׳ק

Le début des deux premiers paragraphes du rituel pour le
Séder — Pessah (l'agneau pascal) — Matsa (le pain azyme)
Maror (les herbes amères) — 566 du petit comput [1806].
Pessah, Matsa et Maror sont les trois aliments symboliques
de la veillée de Pâque. (Ex., XII-8). « ...*On le mangera rôti
au feu* [l'agneau pascal] *et accompagné d'azymes et d'herbes
amères* ».
Sur l'aile est gravée l'ordonnance du rituel du Séder entre-
coupée d'une décoration florale.

1. [כהא [לחמא עניא
2. [מה [נשתנה

65

66
Plat pour le Séder

Paris (France), première moitié du 19e siècle
Porcelaine
Diam. 36,5 cm
N° Inv. Cl. 21685
Don Luville, 1933

Au centre figure une étoile ayant un agneau en son milieu.
Au-dessus une couronne fermée, au-dessous פסח : Pâque.
Sur l'aile sont inscrites les dix plaies dont furent frappés
les Égyptiens, le tout en lettres et figures d'or. Bordure dorée.
Au dos figurent le nom et l'adresse d'un fabricant parisien.
Seul le mot « Paris » reste lisible.

67-68-69
Trois petites assiettes

France, 19e siècle
Porcelaine
Diam. 10,6 cm
N° Inv. Cl. 21686 à 21688
Don Luville, 1933

Elles portent l'inscription פסח : Pâque en lettres dorées.
Aile dorée.
La coutume veut que l'on se serve d'une vaisselle réservée
spécialement à la fête. C'est sans doute pour différencier
ces assiettes de la vaisselle ordinaire qu'elles portent l'inscription « Pâque ».

70
Serviette liturgique

Oberzell (Allemagne), 1781
Toile de lin
Haut. 30 cm; long. 160 cm
N° Inv. Cl. 12368
Don Rothschild, collection Strauss n° 134

La riche broderie au point passé représente au milieu
Adam, Ève et le serpent qui tend à Ève le fruit de l'Arbre
de la Connaissance. De chaque côté sur un piédestal un
serpent dressé.

Entre les personnages on lit : אדם וחוה ע׳ה׳
Adam et Ève que la paix soit avec eux.

Les différents textes sont de haut en bas :
שאו ידיכם קודש וב׳ את יי׳
Élevez vos mains vers le Sanctuaire et bénissez le Seigneur
(Ps., CXXXIV-2).

Ensuite la bénédiction que l'on prononce au moment de
l'ablution rituelle et enfin :
נעשה ונגמר באוברצעל יום א׳ י״ג ניסן תקמ״א לפק
*Fait et terminé à Oberzell, dimanche, 13 Nissan 541 du petit
comput* [1781].

Les extrémités sont ajourées.
Ce genre de serviettes était utilisé surtout pendant la
cérémonie de la Pâque (Seder).
Elle a été terminée l'avant-veille de la fête (le 13 Nissan).
Afin d'accentuer l'affranchissement que commémore la
fête, on a l'habitude de dresser pendant cette cérémonie une

66

67

70

table d'apparat et d'imiter le luxe des cours princières. Aussi faut-il voir dans cette serviette un reflet des superbes linges brodés dont se servaient les rois au cours des cérémonies religieuses dont la Schatzkammer de Vienne et le Kremlin conservent des exemplaires.

La symbolique n'a aucun rapport avec la fête. En revanche, il existe un grand nombre de plats pour le Séder dont l'inscription indique qu'ils ont été offert comme cadeau de mariage.

Peut-être cette serviette, qui représente le premier couple, a-t-elle également été brodée à l'occasion d'un mariage. Une serviette comparable représentant également entre autres Adam et Ève est reproduite dans : Rudolf Hallo, *Jüdische Kunst aus Hessen und Nassau*, Berlin, Soncinogesellschaft, 1933, pl. 25 (n° 90).

La fête de Pourim

71
Méguilla

Italie, vers 1700
Parchemin, 4 feuillets
Étui en bois tourné
Nº Inv. Cl. 12296 c
Don Rothschild, collection Strauss nº 78

Le texte est calligraphié dans des espaces ménagés dans un cadre gravé sur cuivre.

Dix-sept colonnes de texte : la dernière renfermant la liturgie récitée après la lecture.

En exergue, figurent dans un cadre les bénédictions entourées de huit vignettes représentant en haut la cour de Suse, au milieu, à droite, la pendaison de Bigtan et Térech; à gauche, la pendaison d'Haman et de ses fils; en bas, de droite à gauche, Mardochée à la porte du palais, Haman conduisant le cheval de Mardochée, Mardochée et Esther écrivent aux communautés juives du royaume. Une petite vignette au-dessus des bénédictions représente une reine assise.

Ces illustrations sont placées entre deux colonnes cannelées entourées de feuilles d'acanthe et dont les chapiteaux sont surmontés de deux lions rampants se faisant face. Les bases des colonnes sont décorées de vases de fleurs.

71

Le texte se présente dans des espaces rectangulaires encadrés, séparés par des piliers de formes les plus diverses. Certains comportent un angelot ou un homme barbu portant un vase de fleurs, un arbre, etc.

Au-dessus du texte dans des médaillons ovales entourés de branchages figurent les portraits en buste des principaux personnages.

Sous le texte, des vignettes rectangulaires encadrées comme le texte, représentent dans l'ordre : 1. le banquet ; 2. Vashti à genoux entre deux femmes ; 3. un messager quittant Suse aux puissantes murailles ; 4. la cérémonie du mariage d'Esther et d'Assuérus ; 5. Haman tirant au sort (un archer tire sur un disque où sont disposés les douze signes du zodiaque) ; 6. Mardochée en deuil écoutant l'annonce de la loi ; 7. Haman pesant devant le roi la somme qu'il a offerte en échange de la vie des Juifs ; 8. Assuérus et Haman fêtant la proclamation de la loi ; 9. la lecture des annales au roi ; 10. Haman conduisant le cheval de Mardochée ; 11. le banquet d'Esther ; 12. Haman implorant la reine ; 13. les messagers partant ; 14. le palais ; au-dessus, dans la colonne de texte, la pendaison d'Haman en présence de Mardochée ; 15. le roi et la reine assis sur leur trône : à l'arrière-plan scène de bataille ; 16. réjouissance de Pourim ; par la fenêtre on aperçoit un navire (1) ; 17. Haman, Mardochée, Zérech, Esther, Harbona, tenant un écusson où est calligraphié une partie de la liturgie qui mentionne leur nom.

Les scènes sont séparées par des vignettes représentant des paysages, des vaisseaux, etc., qui n'ont apparemment aucun rapport avec le texte, comme c'est également le cas pour les illustrations gravées par Salom Italia.

(1) Le navire dans la vignette 16 fait allusion aux « Iles de la mer » dont il est question dans cette colonne.

72
Méguilla

Italie, vers 1700
Parchemin, 4 feuillets
Étui en buis sculpté
Haut. du parchemin 16,5 cm ; long. 165 cm
Nº Inv. Cl. 12296 a
Don Rothschild, collection Strauss nº 76

Le texte est calligraphié dans des espaces aménagés dans un cadre gravé sur cuivre.

En exergue figurent les bénédictions entourées de huit vignettes représentant en haut la cour de Suse, au milieu, à droite, la pendaison de Bigtan et Térech, à gauche, la pendaison d'Haman et de ses fils, en bas, de droite à gauche : Mardochée à la porte du palais, Haman conduisant le cheval

72

de Mardochée, Mardochée et Esther écrivant aux communautés de par le royaume.

Au-dessus du texte, quatre paysages dans des cartouches de formes diverses reviennent dans le même ordre.

Sous le texte, des vignettes rectangulaires dans un encadrement représentent les mêmes scènes dans le même ordre que celles de la Méguilla précédente, sauf la vignette numéro 14 qui montre Mardochée au milieu de la population assistant à la pendaison d'Haman et de ses fils. La potence est dessinée dans une des colonnes du texte. Elle a la particularité de représenter les suppliciés pendus les uns au-dessus des autres.

Entre les vignettes, un vase de fleurs. Sur chaque feuillet, deux piliers décorés d'angelots et de guirlandes et deux piliers décorés de feuilles d'acanthe et de guirlandes, surmontés d'un chapiteau, séparent les colonnes du texte. Le rouleau est fixé sur un axe prolongé d'un manche et contenu dans un étui cylindrique en buis sculpté du 18e siècle.

Cette illustration anonyme a été considérée par un grand nombre d'historiens d'art comme allemande. Il semble pourtant que son origine italienne ne fait pas de doute. En sa faveur plaident l'aspect général de l'illustration et le caractère de la calligraphie. En outre, les vignettes qui surmontent le texte représentent des paysages typiquement italiens, notamment le palais au fond d'une allée plantée de cyprès, avec, au premier plan une fontaine.

Parmi les vignettes de la bande inférieure, les scènes du banquet et le messager quittant la ville rappellent fortement les illustrations de la célèbre Haggada vénitienne du 17e siècle. Il ne peut guère faire de doute que la vignette sur le folio 4 verso de cette édition, a servi de modèle à la scène du banquet (la représentation du luminaire au milieu de deux fenêtres d'un verre épais décoré de cercles, la disposition des convives autour de la table, la position du serviteur à gauche). La représentation de la ville sur folio 14 recto, semble avoir inspiré la vignette qui montre le messager quittant la ville (l'architecture, les coupoles). Les vignettes de la bande inférieure ont probablement été copiées sur celles du numéro 71 qui est d'une exécution plus soignée et qui doit l'avoir précédé. Certains détails de la gravure figurant sur le rouleau précédent ont disparu sur ce rouleau-ci. Par ailleurs une vignette qui figure dans le second rouleau n'existe pas dans le premier. La pendaison des dix fils d'Haman surmonte dans le numéro 71 la vue du palais; dans ce rouleau cette scène surmonte une vignette montrant la population qui assiste à l'exécution.

73
Méguilla (rouleau d'Esther)

Italie, milieu 18e siècle
Parchemin (3 feuillets)
Haut. 27,5 cm
No Inv. Cl. 12296 e
Don Rothschild, collection Strauss no 80

Le texte est disposé en douze colonnes séparées par des personnages debout se faisant face. Une frise continue court

au-dessus, comportant des médaillons à portrait, flanqués de deux oiseaux, que séparent des vases de fleurs. Sous les personnages sont dessinés des lions rampants sur un fond de décor de rinceaux et de fruits. Au-dessous de chaque colonne du texte, une scène illustrant le récit, marquée d'une brève inscription, représente dans l'ordre : 1. le banquet; 2. l'exécution de la reine Vashti; 3. l'exécution de Bigtan et Térech; 4. la proposition d'Haman; 5. le deuil de Suse; 6. le roi écoutant la lecture des chroniques; 7. Haman conduisant le cheval de Mardochée pendant que Zérech vide des ordures sur la tête de son époux; 8. pendaison d'Haman; 9. riposte des Juifs; 10. la pendaison des fils d'Haman; 11. la réjouissance des Juifs; 12. l'institutionnalisation de la fête. Les personnages en pied représentant dans le même ordre : 1. Assuérus; 2. Vashti; 3. Mardochée; (il tient à la main un rouleau de la Thora miniature); 4. Esther; 5. Haman; 6. Zérech; 7. Carchena; 8. Chetar; 9. Admata; 10. Tarchich; 11. Méres; 12. Marsena; 13. Memoukhan.

Dans les médaillons : Méhouman, Bizzeta, Harbona, Bigta, Abagta, Zétar, Carcas, Hégaï, Chaachgaz, Bigtan, Térech, Hatac.

On connaît un assez grand nombre de ce type de rouleaux d'Esther, mais malheureusement très peu sont datés. C'est ainsi que Cecil Roth a pu leur attribuer une origine française (comtadine) et les faire remonter au 16e siècle (1). Les costumes sont en effet archaïsants ou orientalisants, mais il s'agit d'un phénomène courant quand le peintre veut représenter une histoire antique. L'origine comtadine peut être également exclue, car aucun manuscrit d'une telle élégance ni aucun objet du culte juif du Comtat Venaissin d'une telle qualité ne nous est parvenu du 16e siècle. La condition des Juifs dans cette région n'aurait certainement pas permis la production — et en série! — de si beaux manuscrits. Un exemplaire faisant partie de cette « famille » comportant des indications de date et de lieu que nous avons pu retrouver, donne le renseignement suivant :

נעשה על ידי הק׳ארי׳ ליב בן מוהר״ר דניאל [א-ל]
ז״ל מק׳ גוריי פולין קטן ולע [ולעת עתה] מתגורר בבריסילי יום
ה לסדר כי גר הייתי באֹרץ נכרי׳ לפ״ק

Exécuté par Aryeh Leib, fils du rabbin Daniel de mémoire bénie, originaire de la communauté de Goraj dans la petite Pologne et qui migre actuellement à Bricelli, jeudi du péricope... car je suis un émigré sur une terre étrangère (2) du petit comput.

La valeur numérique des lettres marquées d'un point totalise 503, c'est-à-dire 1743.

Ainsi le rouleau de ce groupe, du style le plus archaïsant et d'aspect le plus ancien que nous ayons pu examiner, porte la date de 1743. Il semble donc difficile de faire remonter tous ces rouleaux — il en existe un nombre relativement élevé — au 16e siècle, lorsque l'exemplaire daté le plus ancien ne remonte qu'à 1743 (3).

L'examen de ces manuscrits permet de constater immédiatement leur parenté et le désir de continuer une tradition. Mais ils rappellent surtout les rouleaux illustrés des gravures sur cuivre de Salom Italia. D'origine italienne, né probablement à Mantoue en 1618, il a été actif à Amsterdam où il a signé et daté un portrait du Rabbin Menasseh ben Israël en 1642. Salom Italia a subi en particulier l'influence

73

de l'artiste français Daniel Rabel (1578-1637), influence qui se reflète dans le grand nombre de rouleaux d'Esther qu'il a illustrés. Sa réputation a dû être grande; on l'avait même chargé de remplacer une illustration du « Piedro Glorioso » de Menasseh ben Israël, enrichi des eaux-fortes de Rembrandt. L'œuvre de Rembrandt avait été jugée choquante à cause de l'anthropomorphisme de sa représentation de la révélation du Mont Sinaï.

Rien d'étonnant donc, que l'œuvre du maître fut encore demandée. Lorsque le stock en a été épuisé, les scribes commencèrent à copier à la main les gravures d'Italia. Cela n'a rien de surprenant; une autre impression d'Amsterdam a joui de la même popularité. La célèbre Haggada imprimée pour la première fois en 1695, illustrée des gravures sur cuivre d'Abraham par Jacob a été copiée d'innombrables fois par les imprimeurs à travers toute l'Europe achkenase, mais également et très souvent par les scribes qui reproduisaient à la main les gravures de l'édition réputée. Il semble donc probable que la décoration du grand groupe de rouleaux d'Esther auquel appartient cet exemplaire a été inspirée de l'œuvre de Salom Italia.

Dans son article dans *Tarbiz*, Narkiss voit dans le présent groupe de rouleaux, rehaussés de dessins à la plume, une renaissance de la Méguilla de Salom Italia (4). Entre temps, probablement vers 1700 en Italie, une autre illustration également gravée sur cuivre, avait été exécutée (voir les nᵒˢ 71 et 72 de ce catalogue). Dans cette catégorie les scènes en exergue et placées sous les colonnes de texte sont identiques (ou presque) dans tous les exemplaires. Cependant la décoration entre les colonnes du texte, et au-dessus, diffère d'un rouleau à l'autre. Ainsi, dans l'un on aperçoit des paysages dans des cartouches, dans l'autre

des portraits des principaux personnages inscrits dans des médaillons.

Or, si l'œuvre de Salom Italia a servi de modèle pour les personnages en pied, cette autre Méguilla du début du 18e siècle a dû également inspirer les scribes.

Certains aspects du dessin indiquent clairement qu'il a été copié sur une gravure, notamment le fond quadrillé tel que nous le retrouvons dans la Méguilla nᵒ 71 de ce catalogue. On a même l'impression que le scribe a essayé de faire passer son œuvre pour une gravure !

Narkiss voit dans tous ces rouleaux au dessin à la plume et au lavis de sépia l'œuvre d'un certain Daniel ben R. Mardochée de Goraj en Petite Pologne. Malheureusement, il a omis de mentionner dans quels exemplaires il a trouvé cette signature et la date qui l'accompagnait. Sa disparition prématurée l'a empêché de publier ses recherches.

Si le renseignement fourni par Narkiss est exact, il ne fait aucun doute que ce Daniel b. Mardochée était le père du scribe Aryeh Leib b. Daniel dont nous possédons non seulement la signature, mais encore un colophon complet. Celui-ci aura secondé son père dans la production en série de ces méguilot qui ont dû voir le jour dans la région vénitienne dans le deuxième tiers du 18e siècle. Bien qu'ayant subi diverses influences, on peut les considérer comme une véritable création artistique. Les scribes n'ont jamais copié servilement; les éléments du décor varient d'un exemplaire à l'autre. Les seuls éléments permanents sont les personnages debout et les médaillons à portrait. Les figures sont stéréotypées, sauf l'image de Mardochée qui porte tantôt les Tables de Loi, ou un rouleau de la Thora, tantôt le Loulab. Les Tables de la Loi et la Thora font probablement allusion à l'appartenance de Mardochée

à la « Grande Assemblée », le Loulab au poème אשר הניא faisant partie de la liturgie où il est dit : נץ פרח מלולב :
Le Loulab a fait éclore une fleur.

Si on a voulu reconnaître une origine française à ces illustrations, il faut peut-être en chercher la cause dans l'influence que Salom Italia a subie lui-même de Daniel Rabel, influence qui est encore perceptible dans les manuscrits qui imitent l'œuvre gravée du maître d'Amsterdam.

(1) Cecil Roth suit Frauberger, *Mitteilungen*, V-VI, 1909, comme par ailleurs l'ont fait *Encyclopedia Judaica* et *Jüdisches Lexikon*.
(2) Ex., II-22.
(3) Y. Shachar avait signalé en 1971 dans une correspondance privée, un autre exemplaire daté [1746], conservé dans une bibliothèque privée. Un troisième exemplaire daté [1748] est signalé par J. Gutmann dans *Reallexikon zur deutschen Kunstgeschichte*, fig. 6 (collection du Hebrew Union College, Cincinnati).
(4) Voir M. Narkiss, dans *Tarbiz*, 25, 1956, p. 441-451 et 26, 1957, p. 87-101.

74
Méguilla

Italie, milieu du 18e siècle
Parchemin (5 feuillets, comportant chacun 4 colonnes)
Axe en bois sculpté
Haut. du parchemin 26 cm; de l'axe 53 cm
No Inv. Cl. 12296 d
Don Rothschild, collection Strauss no 79

Le texte est écrit en dix-neuf colonnes comprises dans des arcades, gravées sur cuivre et coloriées à la main. Des piliers supportent une balustrade. Sur celle-ci sont disposés des vases de fleurs flanqués d'oiseaux de toutes sortes. Sous le texte, entre les socles des piliers, sont gravées diverses scènes illustrant le livre. Un dernier espace est resté vide. En général, le scribe le réservait aux bénédictions que l'on récite avant et après la lecture.

74

Cet exemplaire ne comporte pas de signature. Pour le reste il est identique à ceux signés par Francesco Griselini. Ce graveur était actif à Venise au milieu du 18e siècle et semble avoir travaillé pour une clientèle juive. Nous rencontrons sa signature (F. Griselini f) sur les pages de titre gravées de la Bible hébraïque imprimée par Bragadini à Venise en 1739-41 (43?), pour le compte d'Isaac Foà et comportant sa marque d'imprimeur.

Un autre exemplaire de ce rouleau d'Esther, conservé dans une collection privée, est signé par Griselini pour la gravure et par le scribe « Aryeh Leib fils du Rabbin Daniel de Goraj » pour le texte, et daté de 1746. On peut donc dater les gravures illustrant la Méguilla de 1740 environ, au plus tard de 1746.

La dernière des vignettes montre le prophète Elie conduisant le Messie devant Jérusalem. Ce dessin a été inspiré par une illustration de la célèbre Haggada imprimée à Venise. Il ne souligne pas le caractère messianique de la fête de Pourim comme on l'a écrit à tort, car cette fête n'a pas de caractère

75
Méguilla (rouleau d'Esther)

Italie, 18e siècle
Parchemin
Haut. 51,6 cm
No Inv. Cl. 18305
Don Isaac Moïse de Camondo, 1910

Le texte est disposé dans seize arcades, soutenues par de doubles colonnes torses, derrière lesquelles se trouve un entablement où est suspendue une guirlande. Les colonnes supportent une balustrade ornée de vases de fleurs, d'angelots, d'oiseaux et de guirlandes.

Sous le texte entre les piédestaux des colonnes sont peintes en vert des scènes illustrant le texte. Elles représentent dans l'ordre : 1. le banquet des hommes et le banquet des femmes ; 2. le roi et son conseil ; 3. la présentation des jeunes

75

messianique, mais il vient rappeler un enseignement talmudique. *« Lorsqu'après la venue du Messie toutes les fêtes seront abolies, seule la fête de Pourim sera maintenue dans la liesse »* (1).

En haut de la dernière colonne une ligne a été effacée. Il s'agit du nom du premier propriétaire ou bien du nom du scribe qui pourrait être le même Aryeh Leib de Goraj ; la calligraphie de ce rouleau ressemble fort à celle des rouleaux signés de sa main.

Bibliographie : Joseph Gutman, *Estherrolle* dans *Reallexikon zur deutschen Kunstgeschichte*, col. 93-94, fig. 4, où est reproduite une Méguilla illustrée « d'après Griselini 1670-1680 » (!).

(1) *Midrash Shohar Tob*, sur Proverbes 6.

filles au roi ; 4. le couronnement d'Esther ; 5. la pendaison de Bigtan et Térech ; 6. Haman proposant au roi son projet ; 7. Mardochée en informant Esther ; 8. Esther devant le roi ; 9. la lecture au roi des annales du royaume ; 10. Haman conduisant le cheval de Mardochée ; 11. Haman demandant grâce à Esther ; 12. les messagers partant en mission ; 13. Mardochée aux portes du palais ; scènes de réjouissance (?) ; 14. pendaison des dix fils d'Haman ; 15. le banquet de Pourim ; 16. Mardochée au balcon du palais s'entretenant avec les Juifs.

Les petites peintures s'inscrivent dans la tradition vénitienne et sont d'une interprétation relativement aisée. Les médaillons peints au-dessus du texte s'expliquent plus difficilement. Nous les décrivons également dans l'ordre : 1. cartouche (blason ?) timbré d'une coquille. Cette décoration revient à intervalle régulier (1-4-7-10-13-16). Il ne s'agit probablement pas d'armes de famille car toutes celles que nous connaissons en Italie comportent des éléments figuratifs. 2. Un personnage tenant dans chaque main trois branches (épis ?). On peut se demander s'il s'agit du symbole d'Esther dont le nom hébreu était Hadassa (myrte) ou bien de Mardochée, nom auquel les rabbins reconnaissent également une étymologie hébraïque en rapport avec le nom Mor (myrrhe); ou encore du signe zodiacal de la Vierge. On connaît en effet, plusieurs rouleaux d'Esther dont la décoration comporte les signes du zodiaque, allusion au mot Pur, d'où est dérivé le nom de la fête de « Pourim ». 3. Une vue de Jérusalem. Cette image fait allusion au texte écrit dans cette colonne « ...*qui avait été déporté de Jérusalem...* ». (Esth., II-6). 4. Un cartouche (voir 1). 5. Deux soleils. Le dessin fait peut-être pendant avec celui qui se trouve au-dessous de la colonne et qui montre l'exécution de Bigtan et Térech. Souvent dans la littérature midrashique on rencontre l'expression « *et le soleil brilla et le soleil se coucha* » pour décrire la fin d'un personnage puissant. 6. Un lion passant à gauche. Il s'agit peut-être du signe du zodiaque du propriétaire. 7. Un cartouche (voir 1). 8. Un soleil et un croissant. Ce dessin fait peut-être allusion au nom d'Issachar. D'après le midrash, interprétant le verset XII-32 des Chroniques I, un soleil et un croissant étaient peints sur le drapeau de la tribu d'Issachar. L'expression, qui donne le prétexte pour l'invention de ce symbole est : יודעי העתים : *Les astrologues* (1). Or, ce terme se trouve également dans le premier chapitre du livre d'Esther. En se servant du précédent d'Issachar, l'illustrateur a peut-être voulu évoquer par ce symbole les ministres (astrologues) du roi. Par ailleurs, le soleil et le croissant se rencontrent parmi les emblèmes ornant les armoiries juives d'Italie. 9. Un voilier trois-mâts. Compte tenu de l'endroit où est placée cette vignette, elle ne fait pas allusion aux « îles de la mer » comme c'est le cas pour le dessin du voilier en fin de texte de certains rouleaux, mais probablement au métier du propriétaire. 10. Un cartouche (voir n° 1). 11. Un dragon à gauche. 12. Une troupe de lanciers. Allusion aux combats de Suse ? 13. Un cartouche (voir n° 1). 14. Un cerf courant à gauche. Le cerf est une représentation qui revient fréquemment dans la symbolique juive. Il fait peut-être allusion au nom de Zwi (cerf), ou encore il fait pendant avec le lion, afin d'évoquer la michna de ben Teima (Traité des Pères, IV-17). 15. Un olivier. Cet arbre orne le blason de certaines familles juives d'Italie (Olivetti). Il évoque surtout la bénédiction biblique où il est question de « pousses d'olivier », « d'olivier plein de verdeur », etc. 16. Un cartouche (voir n° 1).

Sur une feuille séparée sont calligraphiées les bénédictions récitées au moment de la lecture du livre et un poème de circonstance.

La décoration est semblable à celle du rouleau principal, sauf qu'un seul pilier sépare les deux colonnes du texte. Au-dessous sont peints deux cartouches : dans l'un Haman est pendu à la potence, dans l'autre un groupe d'hommes armés de marteaux et de pioches s'acharne sur un géant couché; il s'agit peut-être d'une allusion à la liturgie où il est dit que par la volonté de Dieu les forts tombent aux mains des faibles.

La poésie commence par le refrain :

קוראי מגילה הם ירננו אל אל כי מקום תהלה היתה לישראל

Ceux qui lisent la Méguilla, chanteront les louanges de Dieu, car une occasion de gloire a été donnée à Israël.

Cette poésie est un acrostiche qui renferme le nom d'Abram (Abraham Aben Ezra, Espagne, 1089-1164). Elle fait partie de la liturgie du Sabbat précédent la fête de Pourim (Davidson, III, p. 340, n° 242).

(1) *Midrash Rabba* et *Midrash Tanhuma* sur Nombres, II-2.

76
Méguilla

Italie, 18e siècle
Parchemin
Haut. 29,5 cm; long. 305 cm
N° Inv. Cl. 12296 b
Don Rothschild, collection Strauss n° 77

Le texte est écrit en dix-neuf colonnes séparées par des piliers supportant une frise continue. Les piliers et la frise sont décorés de guirlandes.
Les bénédictions récitées au moment de la lecture du livre sont écrites sur un feuillet séparé. Sous le texte sont peintes dans des ovales, des scènes l'illustrant. Ils représentent dans l'ordre : 1. le banquet des hommes avec Assuérus; 2. le banquet des femmes avec Vashti; 3. les jeunes filles conduites au gynécée; 4. les jeunes filles dans la cour du palais; 5. le couronnement d'Esther; 6. Haman demandant au roi l'extermination des Juifs; 7. les copies du décret envoyées dans toutes les provinces du royaume; 8. Mardochée demandant à Esther d'intervenir; 9. Esther à genoux devant le roi l'invitant au banquet; 10. le roi, en proie à l'insomnie, ordonnant que l'on lise devant lui les annales du royaume; Haman arrivant dans la cour; 11. Haman conduisant le cheval de Mardochée; 12. le banquet chez la reine Esther; 13. Haman pendu; Esther demandant la révocation du décret; 14. Mardochée et Esther devant le roi; les messagers partant; 15. Esther ordonnant aux Juifs de se défendre; 16. scènes de bataille; 17. Esther demandant au roi l'exécution des fils d'Haman; 18. scènes de réjouissance, avec musique et danse; 19. Esther envoyant l'ordre de célébrer la fête à toutes les communautés juives; deux messagers arrivant vers une ville.
Le décor de ce rouleau, d'un travail populaire, s'inscrit dans la tradition vénitienne du 18e siècle. Au dos se trouve l'inscription : Madonnina 1795.

77
Méguilla

Hollande, 18e siècle
Parchemin
Haut. 22,5 cm
N° Inv. Cl. 17503
Don Hart-Derembourg, 1908

76

Il est composé de trois feuillets de parchemin de dimensions égales, dont le premier a subi une restauration partielle. Le texte se présente sur chaque feuillet sous forme de trois rectangles (au total donc 9 rectangles) disposés dans la partie médiane. Au-dessus et au-dessous sont peints des personnages et des scènes illustrant le récit. Ces colonnes larges sont séparées par une colonne plus étroite également réparties en trois éléments presque carrés; au milieu un personnage, au-dessous une fleur (un tournesol?) et au-dessus dans un cercle à quatre festons un texte rimé en judéo-allemand expliquant les peintures.

Voici ces textes dans l'ordre :

קיניג אחשורש איז וואל גימיט גיוועזן אין וויין :
אלזו האט ער פרשפט ושתי צוברינגען נאקיט אריין :
ושתי האט עז אבער ניט וועלין טן :
וואו אריבר זי אנטפפאנגן האט אירן פרדינטן לון :

1. *Le roi Assuérus était euphorique grâce au vin. C'est ainsi qu'il ordonna de conduire la reine Vashti, nue (1), au festin. Mais Vashti refusa. C'est pourquoi elle reçut sa punition méritée.*
Scène de la décapitation de Vashti.
Dessous : un héraut du roi.

ממוכן טוט זאגן, מן זאל ושתי איר קאפף אוועק שלאגין און אויזצו
טרומפיטן : וועלכי פרויא דיא ניט פאלגט איר מן די זעלביג זאל
מן טיטן :

2. *Memoukhan conseilla de condamner Vashti à la décapita-*

tion et de faire proclamer : « La femme qui n'obéit pas à son mari, qu'elle soit mise à mort ».
Personnage (Memoukhan?) sous une arcade.
Dessous une jeune femme (une des jeunes filles?).

קיניג אחשורש האט דיזי אמפטלייט גימאכט : דערמיט זיא אים
איין היפשי יונגפרויא אכט

Le roi Assuérus a nommé des fonctionnaires pour qu'ils lui trouvent une belle jeune vierge.
Fonctionnaires parcourant le royaume à la recherche des jeunes filles.

מרדכי דער יוד האט בייזיך איין היפשי מייד : פר דען קיניג זאל
זיא זיין אן בירייט אסתר ווערט זיא גינאנט

Mardochée le Juif héberge chez lui une jolie fille. Elle doit être destinée au roi! On l'appelle Esther.

המן וויל צעהן טויזנט צענדט זילבר גבן : פר דען יודן איר
לעבן : מרדכי טוט סליחות זאגין : און לאזט עז אסתר זאגין

Haman veut donner dix mille talents d'argent pour la vie des Juifs. Mardochée récite les prières de supplication et les fait dire à Esther.

Au milieu Haman en train de peser les pièces d'argent.
En haut : le roi et la reine à table.
En bas : Mardochée habillé d'un châle de prières tient à la main un livre dans lequel on lit סלח לנו — *Pardonne-nous* (2).

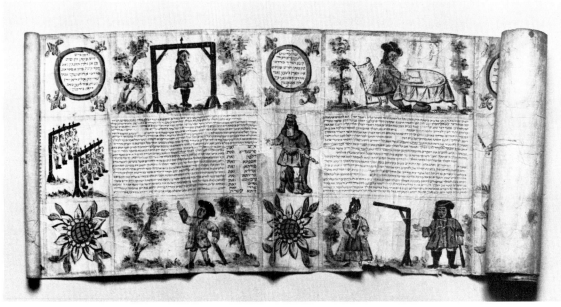

77

קיניג אחשורוש האט אײן שווערין טרוים – לאזט דען שרײבר
רופן : לאזט אין בוך זכרון זוכן

*Le roi Assuérus fait un rêve angoissant. Il fait appeler l'archi-
viste et ordonne que l'on lui lise les annales.*
L'archiviste lisant. A l'arrière plan Bigtan et Térech pendus.
Dessous, Haman montre à Zérech, son épouse, la potence
qu'il a fait dresser pour Mardochée.

דער שרײבר טוט לעזן וויא דער קיניג דאריך מרדכי פון בגתן
ותרש פון טוט איז ווארן גינעזין אבר מרדכי האט נאך קײן לון
אנטפנגין

*Le secrétaire lit comment le roi a été sauvé de la mort par
Mardochée, ayant découvert le complot fomenté par Bigtan
et Terech; mais Mardochée n'a pas encore reçu sa récompense.
En haut Haman pendu. Au milieu ses dix fils à la potence.*

המן מיט זײנע צעהן זין טוט מן אן גלגין העניגן : און דער קיניג טוט
אסתר אונ' מרדכי אליז שענקן : אסתר שרײבט אליז די יודן זאלין
איר לעבן טאג דראן גידענקן

*On pend Haman et ses fils pendant que le roi offre tout à
Esther et à Mardochée. Esther ordonne que les Juifs se sou-
viennent à jamais de ce jour.*

La reine Esther dans un médaillon. Au-dessous : deux
hommes s'apprêtent à boire en l'honneur de la fête.
A la fin du texte est peinte une pomme avec ses feuillages,
qui, par sa forme en cœur et les flammes qui la surmontent
rappelle le cœur, symbole fréquent chez les Juifs portugais
d'Amsterdam.
Plusieurs éléments de la décoration d'une part, et la forme
du judéo-allemand de l'autre, permettent de fixer l'origine
de ce rouleau en Hollande.
Le cœur, ainsi que le tournesol, se rencontrent fréquemment dans la décoration des objets du culte hollandais,
notamment sur les lampes de Hanouca.

Certaines expressions comme מייד – *meid* et אנטפגין – *ont-
vangen* sont des mots empruntés directement à la langue
néerlandaise.

(1) Interprétation midrashique du texte : « qu'elle vienne au festin
coiffée de la couronne royale ».
(2) Début de strophe qui revient fréquemment dans les prières de
supplication.

78
Méguilla

Italie
Rouleau, axe en bois, 17e-18e siècle
Enluminure, 19e siècle
Haut. du parchemin 16,4 cm; de l'axe 31,5 cm
Écriture italienne
No Inv. Cl. 12263
Don Rothschild, collection Strauss no 149

Le texte date probablement du 17e siècle.
Le rouleau est enluminé entre les colonnes de peintures
d'oiseaux et de grotesques exécutées au 19e siècle, probablement en France. Les enluminures ne sont pas sans montrer
un goût certain de l'époque romantique pour l'art du
Moyen Age et de la Renaissance.
En exergue sont représentés Adam et Ève perchés sur un
arbre, au-dessus de grands oiseaux.
Les peintures semblent bien avoir été ajoutées ultérieure-
ment, car à l'origine ce rouleau n'a pas été conçu pour être
enluminé. En effet, les espaces entre les colonnes du texte
sont trop étroits et parfois les peintures empiètent sur
l'écrit.

79
Méguilla (fragment)

Afrique du Nord, 17e siècle
Parchemin, axe en bois
Haut. 6 cm; long. 66 cm
Nº Inv. Cl. 12357
Don Rothschild, collection Strauss nº 139

Le texte commence au verset 8 du chapitre VIII et se
termine à la fin du livre.

79

78

80
Livre d'Esther (manuscrit)

Trieste, 1775
Parchemin sous verre
Haut. 10 cm; larg. 8,2 cm (sans le cadre)
N° Inv. Cl. 13107
Don Bloche, 1894

מעשה ידי הצעיר יהושע ברוך בה״ר משה שאול פינקרלי כותב
פה טריאסטי יע״א ביום אחד ועשרים לחדש מרחשון שנת חמשת
אלפים וחמש מאות וחמשה ושלשים לבריאת העולם ולמספר בני
ישראל

*Œuvre de Josué Baroukh fils de Moïse Saül Pincherle, écrit à
Trieste le 21 Hesvan de l'an 5535 de la création du Monde
[1776] et selon l'ère des enfants d'Israël.*

Le texte complet du livre en micrographie parfaitement
lisible.

81
Méguilla et son étui

Maroc, 18ᵉ siècle
Parchemin, l'étui en argent
Haut. de l'étui 19,5 cm; diam. 3 cm
N° Inv. Cl. 12276
Don Rothschild, collection Strauss n° 47

L'étui hexagonal en argent, serti de nacre et de pierreries
rouges sertis dans des chatons en or, est décoré de motifs
émaillés vert turquoise et fermé en haut par un dôme, d'où
sort un bouton allongé, vissé sur l'axe, autour duquel est
enroulé le parchemin. Le manche, décoré au milieu d'un
bouton, se termine par une boule aplatie et repercée.
Cette Méguilla était cataloguée jusqu'à présent comme
hongroise. Il semble difficile de maintenir cette attribution,
tout d'abord parce que l'écriture est typiquement séfarade (probablement marocaine); par ailleurs, les étuis
originaires d'Europe centrale ont un manche court. Cet
étui, avec son manche long est conçu comme un rimone
marocain. Ceux-ci ont presque toujours, comme c'est le
cas pour l'étui, un bouton au milieu du tube; en revanche,
on ne trouve jamais ce bouton sur les manches européens.
D'autre part, la forme hexagonale, le dôme surmonté d'un
bouton allongé, la forme même de ce bouton, sont autant

80   81

82   83   84

d'éléments qui rappellent la forme du rimone marocain. Enfin, le travail d'orfèvrerie, l'émail, le serti font également penser aux bijoux juifs du Maroc (*La Vie des Juifs au Maroc*, Musée d'Israël, Jérusalem 1973, n° 67, pour la forme du rimone et le n° 426 pour l'orfèvrerie).

82
Méguilla et son étui

France (?), 19e siècle
Vélin, l'étui en or
Haut. 3,1 cm; diam. 1,3 cm
N° Inv. Cl. 21527
Don Camondo, 1930

Le rouleau est contenu dans un cylindre, complété par un manche en forme de bouton dont la partie centrale est cannelée afin de faciliter l'enroulement du vélin autour de l'axe.
Sur le cylindre figurent les initiales gravées M. de C. surmontées d'une couronne de comte (initiales d'un membre de la famille de Camondo).

83
Méguilla et son étui

Italie (?), 19e siècle
Parchemin, l'étui en argent partiellement doré
Haut. 10,5 cm; diam. 2 cm
N° Inv. Cl. 18802
Don Camondo, 1912

Texte du Livre d'Esther, non illustré.
L'étui cylindrique est décoré de feuillages gravés et dorés sur des bandes en spirale. Il est surmonté d'un motif floral qui fixe l'axe du rouleau.

84
Méguilla et son étui

Italie (?), 19e siècle
Parchemin, l'étui en argent
Haut. 11 cm; diam. 2,5 cm
N° Inv. Cl. 18801
Don Camondo, 1912

Texte du Livre d'Esther, non illustré.
L'étui cylindrique est décoré de feuillages gravés sur des bandes en spirale. Il est surmonté d'un motif floral qui fixe l'axe du rouleau.

85 86 87

85
Méguilla et son étui

Europe, 19e siècle
Parchemin, l'étui en or
Haut. du parchemin 1,8 cm
L'étui 2,8 cm × 2 cm × 1,3 cm
No Inv. Cl. 21526
Don Camondo, 1930

Rouleau exceptionnellement petit.
Le texte du Livre d'Esther est calligraphié, sans illustration.
L'étui, traité comme pendentif, est en or émaillé et gravé.
Fleur en réserve sur fond noir.

86
Etui à manuscrit

Italie, 17e-18e siècle
Bois peint
Haut. 32 cm; diam. 5,5 cm
No Inv. Cl. 12305
Don Rothschild, collection Strauss no 93

L'étui se présente sous forme d'un cylindre. Le décor floral est peint en or sur un fond brun-rouge.
Il était probablement destiné à un rouleau d'Esther.

87
Tronc à aumônes (?)

Espagne, 1319
Pierre, reflets mauves et verdâtres
Haut. 13,2 cm. Plus grande larg. 12,5 cm
No Inv. Cl. 12974
Don Alphonse de Rothschild, 1893

Vase en forme de cylindre ovoïde à anse.
Sur la ligne circulaire du haut est écrit en caractères carrés de type espagnol : ריי אחשורוש אי לה ריינה אסתר
Rey Ahasweros y la reyna Esther. — Le roi Assuérus et la reine Esther.

Au centre שנת עט : Année 79 [1319].
Le texte restant est en mauvais état et ne permet pas de lecture certaine.
Dans un rectangle on lit דל נס : *del nes.* Ce mot en judéo-espagnol signifierait « du miracle ».
Si on accepte cette lecture il faudra compléter le texte en lisant avec Israël Lévi le mot זכירה dans l'autre rectangle, ce qui donnerait זכירה דל נס : en souvenir du miracle.
Enfin, les dernières lettres entre la date et le rectangle pourraient composer le mot לירושלים : Jérusalem. Cette dernière lecture nous paraît très incertaine, mais nous ne pouvons en proposer aucune autre, plus plausible.

Bibliographie : Israël Lévi, *Une aumônière judéo-espagnole en pierre*, dans *Revue des Études juives*, 1892, vol. 25, p. 78-80. Cantera, 1956, p. 397.

88

88
Assiette de Pourim

Les Islettes (France), 18e siècle
Faïence
Diam. 22,5 cm
No Inv. Cl. 21113
Don Abram, 1926

Le décor polychrome représente le triomphe de Mardochée.
La scène est entourée du texte partiel du verset VI-11 du
Livre d'Esther : המלך הפץ ביקרו (!) ככה יעשה לאיש אשה
Voilà ce qui se fait pour l'homme que le roi veut honorer.

Sous les deux personnages, les noms מרדכי Mardochée et
המן Haman.
Sur l'aile, le texte partiel du verset IX-22 : מנות איש (!) שלח
לרעהו ומתנות לאביונים
...et d'envoyer des présents à ses amis et des dons aux pauvres.

Cette assiette destinée aux cadeaux traditionnels de Pourim
était appelée « Schlach Mones Teller ».
Le peintre a conservé cette déformation populaire en
écrivant שלח (Schlach) au lieu de l'expression biblique
משלח (Mishloah).
Plus difficile a interpreter est le mot אשה. Il s'agit peut-être
d'une erreur d'écriture. (אשה à la place de אשר). On ne
peut cependant exclure la possibilité que le peintre ait
voulu faire une farce de Pourim posthume à Haman. Car le
mot איש (l'homme) se trouve au-dessus de Mardochée et
le mot אשה (la femme) au-dessus d'Haman.

Le Sabbat

89

89
Coupe pour le Kidouch

Augsbourg (Allemagne), vers 1700
Argent repoussé, gravé et doré
Haut. 13,7 cm; diam. 8,4 cm
N° Inv. Cl. 12272
Don Rothschild, collection Strauss n° 42

Coupe de forme hexagonale sur pied circulaire.
Dans la partie supérieure est gravé le début du Quatrième Commandement dans ses deux variantes. (Ex., XIX-8 et Deut., X-12).
Poinçons : Augsbourg vers 1700. Le maître MW-Matthäus Wolf (1685?-1716). Rosenberg, I, n° 726.

90
Coupe pour le Kidouch

Jérusalem, 19e siècle
Pierre noire de Bethléem, à l'intérieur restes de dorure
Haut. 13 cm; diam. 8 cm
N° Inv. Cl. 12309
Don Rothschild, collection Strauss n° 97

Sur la paroi sont gravées des représentations traditionnelles du Mur occidental, du tombeau de Rachel et la caverne de Makhpéla; sur le pied l'inscription :

90

91

92

מאתי משה יצחק במהורי״ל ז״ל מירושלים גאלדשמיט
Cadeau de Moïse Isaac fils de R. Juda Loeb de Jérusalem Goldschmit.

Ces représentations des lieux saints en Israël figurent souvent sur les coupes de Kidouch en argent, en bois ou en pierre faites à Jérusalem au 19e siècle et au début du 20e. La pierre noire de Bethléem est appelée également pierre de Nebi Mussa (prophète Moïse).

Bibliographie : Z. Wilnaï, dans *Eretz Israël*, vol. VI, 1960, dédié à la mémoire de Mordekhai Narkiss, p. 149. — R. Barnett, *A Group of Embroidered Cloths from Jerusalem*, dans *Journal of Jewish Art*, vol. II, p. 32.

91
Boîte à bessamim

Moyen Age (?)
Bronze doré
Haut. 1,2 cm; long. 6,3 cm; larg. 5 cm
Nᵒ Inv. Cl. 12306
Don Rothschild, collection Strauss nᵒ 94

La boîte de forme rectangulaire comporte quatre compartiments. Elle est gravée sur les côtés de losanges. Sur le couvercle à glissière sont sertis cinq cabochons.

Il est difficile d'affirmer qu'il s'agit d'une boîte à bessamim, en l'absence de tout symbole juif. Cependant, on connaît des boîtes à aromates faites sur le même modèle, en argent et en étain. Elles datent du 18e siècle et portent souvent les poinçons de Francfort.

92
Boîte

Bronze
Ovale 6,8 cm × 5 cm; Haut. 2,3 cm
Nᵒ Inv. Cl. 12257
Don Rothschild, collection Strauss nᵒ 24

La boîte est divisée en quatre compartiments.
Le couvercle est gravé de volutes et serti d'un losange en nacre ayant au centre un autre losange en verroterie mauve décoré d'un lion rampant à gauche.
Cette boîte était peut-être utilisée pour les aromates, mais rien n'indique qu'il s'agit d'un objet rituel juif.

93
Boîte à bessamim

Allemagne, 17e-18e siècle
Argent (bas titre)
Haut. 23,8 cm
No Inv. Cl. 12320
Don Rothschild, collection Strauss no 105

La boîte en forme de tour pose sur un pied circulaire percé à jours. L'édicule carré entouré d'une balustrade supporte une flèche surmontée d'une boule et d'une girouette.
Sur la balustrade se tiennent quatre figurines représentant des soldats en armure de style Renaissance. L'un tient dans sa main droite un écusson et dans sa main gauche un modèle d'édifice; le second tient une coupe; le troisième un drapeau (?) (ou une clef?); le quatrième un oiseau (?).
Dans une des parois a été aménagée une petite porte.
La boîte est ajourée sur ses quatre côtés.

93

94
Boîte à bessamim

Autriche, 18e siècle
Argent filigrané serti de pierreries et de plaquettes émaillées.
Haut. 30 cm
No Inv. Cl. 12249
Don Rothschild, collection Strauss no 15

La boîte se présente sous la forme d'une tour carrée à deux étages surmontée d'une flèche qui supporte une boule et un drapeau. Elle pose sur un pied rond et une boule aplatie.
Aux angles se dressent des bouquets de lamelles torsadées d'argent imitant des flammes. Elle est sertie de pierreries multicolores, et sur ses quatre faces et sur le pied sont appliquées des plaquettes émaillées dont les peintures représentent :
Sur la flèche : Samson portant les portes de la ville de Gaza; le prophète Élie nourri par les corbeaux; Moïse sur le Mont Sinaï et Moïse devant le buisson ardent;
Sur l'étage supérieur : Jacob luttant avec l'ange; le rêve de Jacob; un personnage avec un poisson; Hagar et Ismaël devant la source dans le désert;
Sur l'étage inférieur : Abraham et Melchisédeq; Esther et Assuérus.
Dans la quatrième face a été ménagée une porte permettant l'introduction des aromates;
Sur le pied : Samson et Dalila; Jonas sous le ricin; Judith tenant la tête d'Holopherne; Daniel dans la fosse aux lions.

La peinture représentant l'homme au poisson est difficile à interpréter. Il s'agit probablement de Rabbi Joseph « fervent du Sabbat » qui s'efforçait toujours d'acheter un poisson en l'honneur du Sabbat et un jour y trouva une perle de grande valeur (*Talmud Bab., Traité de Sabb.* fo 119 r).
L'argent filigrané n'étant pas poinçonné, nous n'avons aucune certitude sur la provenance de cette « tour à bessamim ». Plusieurs origines lui ont été attribuées. Guido Schœnberger considère cet exemplaire ainsi qu'un autre, très proche, comme étant d'origine italienne. (Catalogue Kayser no 88 et catalogue Francfort no 309.) Or, les boîtes à bessamim italiennes en forme de tour sont excessivement rares. Il n'en a été rencontré qu'une seule portant des poinçons italiens et son aspect n'a rien de comparable avec l'exemplaire du musée de Cluny. L'architecture de cette boîte, jusqu'au modèle du drapeau, évoque les formes d'Europe centrale. Le style des miniatures sur émail rappelle cette même provenance. La profusion des pierreries fait penser à l'Autriche et nous faisons nôtre, l'opinion de l'ancien directeur du musée Bezallel, Mordekhai Narkiss, qui penchait pour cette attribution. D'ailleurs le style de l'arche sainte décrite dans ce catalogue (no 125) nous confirme dans cette opinion. La finesse du filigrane et la qualité des miniatures pourrait indiquer Vienne comme origine.
Barnett décrit un exemplaire proche (no 44) qu'il pense être d'origine d'Allemagne du Sud et du milieu du 18e siècle.

95
Boîte à bessamim

Nuremberg (Allemagne), 18e siècle
Argent
Haut. 26,5 cm; diam. du pied 9,5 cm
No Inv. Cl. 12251
Don Rothschild, collection Strauss no 18

La tour carrée pose sur un pied rond à godrons. Elle est
entourée à la partie haute d'une balustrade percée à jours,
flanquée à ses quatre angles de donjons carrés, surmontés
d'une boule supportant une girouette.
Elle se termine par une flèche, surmontée d'une boule;
la girouette manque.
L'édicule à deux étages est percée sur ses quatre faces à
l'étage supérieur de doubles fenêtres en arc en plein cintre.
Sur l'une des faces de l'étage inférieur a été ménagée une
petite porte. Sur la flèche sont suggérées des tuiles; sur les
parois, la maçonnerie de pierres de taille.
Poinçons : 1. Nuremberg, 18e siècle. 2. le maître : dans un
trilobe une fleur entre I-C.

94

95

96
Boîte à bessamim

Juridiction de Metz (Lorraine, France), vers 1770
Argent gravé
Haut. 9,5 cm; long. 8 cm; larg. 6 cm
N° Inv. Cl. 12255
Don Rothschild, collection Strauss n° 22

La boîte rectangulaire à six compartiments pose sur quatre
pieds à griffes. Elle est décorée de guirlandes et de grappes
de raisin. Sur le couvercle à glissière a été rapporté (tardi-
vement?) un petit bougeoir.
Poinçons : Maison Commune de Metz vers 1769 (Helft
541a). Reconnaissance de Metz (Helft 541b). Charge de la
juridiction de Metz (Helft 550c). Le maître H.M. dans un
cœur couronné. Recense : girafe. Garantie : tortue (Nord-
Est).
Kayser (n° 99) signale une boîte similaire, originaire de
Francfort-sur-le-Main, vers 1715, qui comporte également six compartiments.

97
Boîte à bessamim

Allemagne (?), 19e siècle
Argent
Haut. 31,3 cm; larg. 9 cm
N° Inv. Cl. 12319
Don Rothschild, collection Strauss n° 104

Boîte en forme d'une tour carrée à deux étages posant sur
quatre boules, percée de sept fenêtres et terminée par
une balustrade flanquée de quatre tourelles qui entourent
une flèche entièrement ajourée et décorée de motifs d'inspiration gothique.

Bibliographie : Ernst-Cohn-Wiener, p. 197.

96

97

98
Boîte à bessamim

Style du 18e siècle
Métal argenté
Haut. 35,7 cm; larg. 11 cm
No Inv. Cl. 20244
Don Rothschild, collection Strauss no 17

Boîte hexagonale à deux étages sur pied hexagonal.
Aux angles, des colonnes cannelées supportent des balustrades, à décor de palmettes pour le premier étage et de colonnettes torses pour le second étage.
L'étage inférieur comporte cinq fenêtres et une porte; l'étage supérieur six fenêtres. Elles sont percées à jours et décorées de quadrilobes dans un cercle.
Le deuxième étage est surmonté d'une flèche qui se termine par une girouette placée sur un globe. Il s'agit d'un travail du 19e siècle qui veut reproduire le style des « tours » à aromates du 17e siècle.

99
Boîte à bessamim

19e siècle
Argent
Haut. 30 cm; pied 10,6 cm × 9,5 cm
No Inv. Cl. 12252
Don Rothschild, collection Strauss no 19

La boîte carrée en forme de tour pose sur un pied ovale.
Aux quatre angles sont suspendues des clochettes.
Elle ouvre à charnière par la balustrade qui est maintenue par un crochet.
Sur le toit s'élèvent au centre une flèche encadrée de quatre flèches plus petites, surmontées de girouettes posant sur des globes.
La boîte est percée de quatre roses, la flèche de quatre baies ovales.
La gravure des flèches suggère la maçonnerie et les tuiles.
Travail du 19e siècle. Une partie du pied semble être plus ancienne.
Poinçons difficilement lisibles, probablement de fantaisie.

Bibliographie : Ernst Cohn-Wiener, p. 197.

98

99

100
Bougeoir pour la habdala

Nuremberg (Allemagne), 18e siècle
Argent
Haut. 21,3 cm ; diam. du pied 10,5 cm
No Inv. Cl. 12254
Don Rothschild, collection Strauss no 21

La boîte à épices posée sur un pied circulaire se présente comme un tiroir à quatre compartiments.
Au-dessus s'élèvent quatre montants entre lesquels est posé le bougeoir mobile.
Poinçons : Nuremberg, 18e siècle. Le maître Johann Samuel Beckensteiner (né en 1713, reçu maître en 1743, décédé en 1781). (Rosenberg, 4295.)

101
Bougeoir pour la habdala

Allemagne (?), style du 16e-17e siècle
Argent
Haut. 20,5 cm ; diam. 9 cm
No Inv. Cl. 12253
Don Rothschild, collection Strauss no 20

Sur un piédouche se tient un angelot s'appuyant sur un dauphin. Il supporte une plate-forme carrée munie d'un tiroir à quatre compartiments destinés aux aromates. Au-dessus, un angelot qui porte sur son épaule le bougeoir.

Bibliographie : Ernst-Cohn-Wiener, p. 180.

100

101

Sceaux

102
Sceau matrice

Espagne (?), 13e-14e siècle
Bronze
Diam. 2,1 cm
No Inv. Cl. 12364
Don Rothschild, collection Strauss no 147

Le sceau circulaire représente au milieu un chandelier à cinq branches posant sur un trépied. Les branches sont décorées de boutons. Entre deux cercles concentriques est gravée la légende : יוסף בר יהודה ז"ל : *Joseph fils de Juda de mémoire bénie.*

Cette inscription est suivie de deux lettres, entre deux fleurs, qui pourraient se lire רח ou רה. Si la lecture רה est exacte, elle pourrait indiquer la date : 208 [1448]. Mais une date sur un cachet ne se rencontre qu'exceptionnellement. En outre, l'aspect de la matrice avec son appendice typique indique une origine plus ancienne. Aussi faut-il proposer la lecture ראש הקהל c'est-à-dire : Président de la Communauté.

On rencontre en effet des sceaux à légende hébraïque, aux noms des communautés en Allemagne et en Espagne (comme celui de Séville du British Museum), et à légende latine en France.

Pour le style du candélabre, on peut comparer le cachet au nom de Seneor, fils du Rabbin Don Samuel, du musée de Séville (no 3063) publié par F. Cantera, *Dos Sellos Hebraicos ineditos,* dans *Sefarad,* XIV, 1954, p. 369-371, et Millas y F. Cantera, *Inscripciones Hebraicos de España,* 1956, p. 366-367.

102

103

103
Sceau matrice

France, 18e siècle
Bronze
Haut. 3,2 cm; ovale 2,2 cm
No Inv. Cl. 12366
Don Rothschild, collection Strauss no 147

Écusson entouré de guirlandes et timbré d'une coquille, gravé du signe zodiacal du cancer.
Au-dessus, la légende : שלמה בר אהרן דאלפוגיי
Salomon fils d'Aaron Delpuget — surmontée d'une étoile à cinq branches.

104   105   106   107

Un certain Salomon du Puget est signalé en 1583 en Avignon.
« Del Puget » est un nom de famille qui tire certainement son origine du nom de la localité Le Puget dans le département du Var, arrondissement de Draguignan. Aux XVIe-XVIIe siècles, on trouve à Carpentras de nombreux Juifs qui s'appellent « del Puget » (Gross ; *Gallia Judaica*, p. 157). Philippe Jakob Spener, le célèbre héraldiste allemand, nous apprend que dans la seconde moitié du 17e siècle, les sceaux juifs sont souvent gravés du signe zodiacal de son propriétaire. Schudt dans *Jüdische Merkwürdigkeiten* mentionne également cette mode.

104
Sceau matrice

Est de la France (?), Allemagne (?), 18e siècle
Fer
Haut. 2,5 cm ; ovale 2,8 cm × 2 cm
No Inv. Cl. 12365
Don Rothschild, collection Strauss no 147

Un écusson au monogramme A.I., entouré de guirlandes et timbré d'un quatre-de-chiffre.
Au-dessus est gravée la légende :

Abraham fils d'Isaac.   אברהם ב״כ [= בן כבוד] יצחק

A.I. sont les initiales de Abraham Isaaksohn, ou Isaacson, ou Izaks.
Le quatre-de-chiffre est le symbole des marchands.
Pour les sceaux au quatre-de-chiffre, voir Brigitte Bedos, *Sceaux-matrices hébraïques de la collection Wiener*, dans *Archives juives*, 1980, no 1, sceaux no 25-27.

105
Bague sigillaire

Milieu culturel achkenase, 17e siècle (?)
Bronze, patine noire
Chaton 1,2 cm × 1,1 cm
No Inv. Cl. 12289 b
Don Rothschild, collection Strauss no 66

Le chaton octogonal est gravé d'un scorpion entouré de la légende :   שכנה בן אליעזר ש
Shahna fils d'Eliezer Sh.

La forme des lettres est du type achkenase gothique et fait penser aux stèles du 16e siècle. Cependant, la représentation du signe du zodiaque incite à lui attribuer une date plus tardive. En effet, au Moyen Age, les symboles utilisés sont en général des armes parlantes, comme par exemple le lion pour Juda, le taureau pour Joseph.
Les signes du zodiaque commencent à apparaître fréquemment sur les sceaux à partir du 18e siècle. Cette bague est probablement parmi les plus anciennes de ce type, que l'on doit faire remonter au 17e siècle en tenant compte du type des lettres et de l'aspect général de l'anneau. La lettre ש en fin de légende est probablement l'initiale du mot שיחיה — *Que Dieu lui prête vie* — ou d'un nom de famille.
La lecture שבנה — *Shebna* (2R XVIII-18 et XVIII-26) peut être exclue, car ce nom biblique n'apparaît plus aux temps modernes. Il faut donc bien lire שכנה bien que ce nom s'écrive habituellement שכנא.

106
Bague sigillaire

Milieu culturel achkenaze, 17e-18e siècle
Bronze
Le chaton : 1,4 cm × 1,1 cm
No Inv. Cl. 12289 e
Don Rothschild, collection Strauss no 69

108

109

110

Le chaton de la bague est de forme octogonale aux angles arrondis.
Autour des deux mains bénissantes du Cohen est gravée la légende :

כהן צדק) = יעקב כץ (? בן הרב =) יהודא בה

Juda fils de Jacob Cohen.

107
Bague sigillaire

Milieu culturel achkenase, 17e-18e siècle
Bronze
Le chaton 1,5 cm × 1,2 cm
No Inv. Cl. 12289 c
Don Rothschild, collection Strauss no 67

Le chaton de la bague est de forme ovale.
Autour du signe des Poissons est gravée la légende :

Aaron fils de Jacob de mémoire bénie. אהרן בר יעקב זל

108
Bague sigillaire

Milieu culturel achkenase, 18e siècle
Bronze
Le chaton 1,7 cm × 1,3 cm
No Inv. Cl. 12289 d
Don Rothschild, collection Strauss no 68

Le chaton de la bague est de forme octogonale.
La gravure représente une femme, tenant une branche (signe zodiacal « la Vierge »). Autour est gravée la légende :

Eliezer fils de Juda. אליעזר בר יהודה

109
Bague sigillaire

Europe (Italie ?), 18e siècle
Bronze
Le chaton 1,8 cm × 1,4 cm
No Inv. Cl. 12289 a
Don Rothschild, collection Strauss no 65

Le chaton de forme octogonale est gravé des deux mains bénissantes du Cohen et de la légende :

כהן צדק] = משה כץ [? בן הרב =] נחמי׳ בה

Néhémie fils de Moïse Cohen.

Les mains bénissantes sont les armes parlantes des Cohen.

110
Bague

La pierre : Italie 18e siècle, monture moderne
Or et onyx
Chaton ext. 2,5 cm × 2,1 cm
La pierre 2,2 cm × 1,9 cm
No Inv. Cl. 12288
Don Rothschild, collection Strauss no 64

La bague est sertie d'un onyx, gravé d'une inscription en relief :

יראת אלקים קדמון לכל דבר
La crainte de Dieu prime toute chose.

Ce texte qui ne se trouve pas dans la Bible, est une paraphrase du verset CXI-10 des Psaumes : « *Le principe de la sagesse est la crainte de l'Éternel* » et du verset I-7 des Proverbes : « *La crainte de l'Éternel est le principe de la connaissance* ».

Talith

111-112
Talith katan (petit talith) et bonnet

18e siècle
Satin
Le bonnet : haut. 20 cm; larg. 29 cm
Le petit talith : haut. 41 cm; larg. 35 cm
No Inv. Cl. 12339 a et b
Don Rothschild, collection Strauss no 127

Les deux vêtements en satin bleu canard passé sont brodés en fils d'or, d'une ornementation florale. Aux angles sont nouées les franges (tsitsit) (1).
Le talith katan est un vêtement liturgique que les hommes portent en permanence. Ce vêtement somptueusement brodé n'est évidemment pas un talith katan ordinaire, car celui-ci est porté en général caché sous les vêtements. Il s'agit donc d'un talith katan de cérémonie.
« *A partir du moment où on conduit l'enfant à la synagogue pour y recevoir sa première initiation, on commence à lui faire observer les coutumes, notamment à porter les franges, et à se couvrir la tête* (2). C'est probablement à l'occasion de sa première visite à la synagogue que l'enfant fut revêtu de ce bonnet et du talith richement brodé.

Bibliographie : *Mitteilungen,* III-IV, 1903, p. 86, fig. 117.

(1) Nombres, XV-37 ss.
(2) Bodenschatz, *Kirchliche Verfassung der heutigen Juden,* Francfort et Leipzig, 1749, vol. II, p. 93 : « Les Juifs imposent à leurs enfants de se couvrir la tête et ceci à partir de la septième année... ».

113
Sac pour talith (châle de prière)

Sud de la France, 18e siècle
Soie
Haut. 40 cm; larg. 37 cm
No Inv. Cl. 12300
Don Rothschild, collection Strauss no 82

Le sac en taffetas rose-orangé est décoré de divers motifs végétaux et de fleurs brodés dans des fils d'argent.
Un sac très semblable est conservé au Musée Judéo-Comtadin de Cavaillon (Vaucluse).

Bibliographie : André Dumoulin, *Un Joyau de l'Art judaïque français,* Paris, Klincksieck, 1970, pl. 29.

111

112

113

Tefiline

114-115
Tefiline

France, 18e siècle (?)
Cuir et parchemin
Phylactère pour la tête : cube de 1,1 cm
Phylactère pour le bras : haut. 1,3 cm; base 0,8 cm ×
0,8 cm
No Inv. Cl. 21898-21899
Don Luville, 1934

Les phylactères sont portés par le Juif au bras et au front
pendant la prière du matin (1). Les cubes renferment quatre
passages bibliques écrits sur de petits rouleaux de parchemin. Les textes sont : Ex., XII-1-10; Ex., XIII-11-16;
Deut., VI-4-9; et Deut., XI-13-21.
Ces phylactères sont beaucoup plus petits que ceux en usage
actuellement. Dans la synagogue de Cavaillon sont conservés des Téfiline du 18e siècle, également très petits. Il
semble, en effet, que les phylactères au 18e siècle étaient
plus petits que ceux en usage de nos jours. C'est ainsi qu'ils
apparaissent sur les gravures dans Bodenschatz, *Kirchliche
Verfassung*, planche IV.

(1) Deut., VI-4.

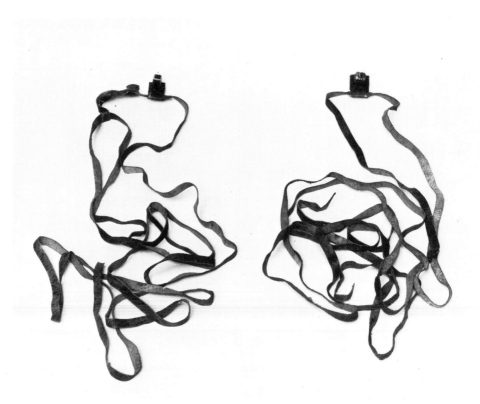

114-115

Thora

116
Gouache sur vélin

Hollande, 17ᵉ siècle
Gravure sur vélin
Avec cadre : haut. 27,5 cm; larg. 20 cm
Gravure seule : haut. 16,3 cm; larg. 10 cm
Nᵒ Inv. Cl. 12321
Don Rothschild, collection Strauss nᵒ 107

La gouache représente un homme vêtu du talith (châle de prière) portant dans le bras droit un rouleau de la Thora vêtu d'un riche manteau et couronné de Rimonime (clochetons en forme de grenades) entourés d'une Atarah (couronne ouverte).

116

117
Fragment de Thora

Maroc, 18e siècle
Peau de gazelle, onze feuillets
Haut. 56,5 cm; long. 680 cm
No Inv. Cl. 12354 c
Don Rothschild, collection Strauss no 136

Le texte commence au verset X-1 de l'Exode et se termine au verset V-1 du Lévitique.
L'écriture très soignée est du type séfarade nord-africain. La plupart des rouleaux nord-africains sont l'œuvre des scribes marocains.

118
Fragment de Thora

Maroc, 18e siècle
Peau de gazelle, six feuillets
Haut. 57 cm; long. 300 cm
No Inv. Cl. 12354 a
Don Rothschild, collection Strauss no 136

Le texte commence au verset XXXV-12 du Livre des Nombres et se termine au verset XVII-2 du Deutéronome. Plume plus fine que celle du no 117.

119
Fragment de Thora

Maroc (?), 18e siècle
Peau de cerf
Haut. 60 cm; long. 880 cm
No Inv. Cl. 12354 b
Don Rothschild, collection Strauss no 136

Le texte commence au verset III-7 et se termine au verset XV-36 du Livre des Nombres.
Écriture séfarade peu soignée.

120
Rouleau de Thora dans son tiq (étui)

Proche-Orient, Empire ottoman, 1860
Peau de gazelle
L'étui : âme en bois recouverte de minces plaquettes d'argent clouées, repoussées, partiellement dorées.
Haut. 86 cm; diam. 21 cm
No Inv. Cl. 18302
Don Camondo, 1910 (1)

L'étui cylindrique revêt la forme traditionnelle propre au Proche-Orient et à l'Afrique du Nord. Il ouvre à charnière, découvrant le rouleau. Le cylindre est surmonté d'un dôme, qui se termine par une sorte de couronne en vermeil, dont le haut rappelle la forme de la grenade. Des chaînettes, ayant des grelots à leurs extrémités, y sont suspendues. Le cylindre est décoré de minces plaquettes d'argent, clouées sur le bois et formant trois registres. Chaque plaquette est décorée au repoussé d'un vase de fleurs. Le haut du cylindre est bordé d'une frise de palmettes qui retiennent un ensemble de petits miroirs.

117   118   119

Du dôme dépassent deux supports sur lesquels sont posées des clochettes (tapouhim) en argent partiellement doré, finement gravées d'un décor floral dans des cartouches polylobés.

A l'intérieur du dôme se trouvent deux inscriptions entourées d'une décoration florale multicolore.

Celle de droite reproduit les versets IV-44 du Deutéronome, XXVI-46 du Lévitique légèrement modifié et II-18 des Proverbes.

A gauche on lit :

תיק זה וספר תורה שבו של הגביר היקר המרומ' השר והטפסר
נשיא ישר' כמה"ר סניור אברהם יחס קמונדו נר"ו ד יזכהו לקיים
כל המצות שבתורה אכיר שנת כתר ליצירה

Cet étui et son rouleau de la Thora appartiennent au notable, l'estimé, le superbe, le Seigneur, l'influent, Prince en Israël, R. Señor Abraham de la lignée des Camondo, que Dieu le protège, que l'Éternel lui accorde le privilège d'accomplir tous les préceptes de la Thora ainsi soit-il ! En l'année KeTeR [valeur numérique : 620] de la Création [du Monde] (1). L'objet est donc daté de 1860.

Le mot KeTeR (couronne) pour exprimer la date, a été choisi intentionnellement. La Thora est appelée KeTeR (ou Tadj), car elle confère la noblesse non pas pour des causes de naissance, mais à celui qui a su acquérir ses vertus spirituelles (Traité des Pères IV-17). En outre, la valeur numérique du mot est de 620. Ce chiffre représente le total des préceptes contenus dans la Thora à savoir 613 commandements révélés au peuple d'Israël et les sept préceptes des Noahides.

La grenade qui surmonte le dôme fait également allusion au chiffre 613. Le nombre de ses grains s'élève d'après le midrash à ce chiffre mystique.

Le vase de fleurs, enfin, est la stylisation de l'Arbre de Vie, auquel la Thora est comparée (Prov., III-18); ce verset figure dans l'inscription du dôme.

Un tiq très similaire daté de Basra (actuellement Irak) de 1904 est conservé au musée du Grand Rabbinat d'Israël.

(1) Abraham de Camondo (1785-1873), banquier, était le chef de la communauté juive de Constantinople. Familier de la Grande Porte, il a exercé une grande influence sur les sultans Abdul Mejid et Abdul Aziz. Conseiller financier des gouvernements autrichien et italien, il a été fait comte par le roi d'Italie en reconnaissance de ses mérites philanthropiques. Le mot « senor » fait allusion à ses origines ibériques. Il était l'arrière grand-père du collectionneur d'art parisien Isaac de Camondo dont la collection célèbre a été léguée au Louvre et au Musée Nissim de Camondo, fondé en 1936 en souvenir d'un membre de la famille mort pour la France comme aviateur, pendant la Grande Guerre. Isaac de Camondo avait également réuni une collection d'objets du culte juif, conservée actuellement dans un des temples parisiens.

121
Rouleau de la Thora et son tiq

Empire ottoman, fin 19e siècle
Parchemin, argent
Haut. 24 cm; diam. 11 cm
Haut. du parchemin 14 cm
No Inv. Cl. 18303
Don Camondo, 1911

Cylindre en argent repoussé et gravé d'une décoration florale, disposée en bandes verticales. Il pose sur six pieds, se termine en haut par une couronne ouverte et ouvre à charnières découvrant un rouleau de la Thora. Le cylindre est surmonté d'un rimone d'un travail très différent, qui porte des poinçons turcs de la fin du 19e siècle. L'autre rimone a disparu. L'écriture est du type oriental, probablement irakienne.

121

122
Tiq

Italie, 1807
Bois stuqué et peint
Haut. 90 cm; diam. 37 cm
N° Inv. Cl. 12331
Don Rothschild, collection Strauss n° 119

L'étui se présente sous la forme d'un prisme à douze faces, ouvrant à charnières en deux parties, au milieu d'une des faces. Celle-ci comporte au centre un rectangle encadrant le crochet qui assujettit l'étui. Les autres faces sont composées d'un panneau, décoré au centre, d'un motif végétal ovale, accompagné au-dessus et au-dessous d'un motif végétal plus petit, inscrit dans un ovale perlé, amorti par un fleuron allongé. Chaque panneau est encadré par des moulures sculptées, comprises entre deux frises lisses. Les panneaux sont terminés par une décoration faite de moutons ornés de feuilles descendantes, qui encadrent deux volutes symétriques qui courent autour de l'étui, en le surmontant, formant une couronne ouverte — Keter Thora — la couronne de la Thora.
L'étui est peint à l'extérieur en vert pâle, rouge vermillon et or; à l'intérieur en rouge.
Dans la partie haute et près de la base deux frises lisses dorées entourant l'étui sont couvertes d'inscriptions hébraïques peintes en noir. Elles sont très effacées, particulièrement sur la frise inférieure, et leur lecture est incertaine. Dans la partie haute on lit:

חזו שפר יקר ספר בתוכו חק והתורה אשר עובד לשם נכבד אשר
נקטף ביום עברה חכם חרש כמו פרש וגם רכב רכב למו עזרה

Voyez la splendeur de ce sepher. A l'intérieur se trouve la Loi et la Thora exécutée en souvenir d'un notable arraché à la vie, un jour de courroux.
Le sculpteur a gravé selon l'indication qui lui a été donnée, ainsi que la châsse qui soutient la Thora (?).

Cette inscription fait allusion à des circonstances qui nous échappent et de ce fait la traduction en est difficile.
Les mots Parash et Rekheb pourraient faire allusion à Ezechiel XXVI-10, où ils se retrouvent en présence du mot Galgal qui signifie « roue » et qui, dans la présente inscription fait peut-être allusion à l'enroulement du parchemin.
L'inscription près de la base est en grande partie effacée. La fin peut être restituée:

... לשם עולם ולתפארה ... אדר ראשון שנת תקס״ז להיצירה
... Un titre de gloire éternelle... [le mois d'] Adar 1567 [de l'ère] de la Création (= 1807).

C'est surtout dans les communautés orientales que l'on connaît cette manière d'enfermer le rouleau de la Thora dans un étui cylindrique. Or, la facture italienne de cet étui trouve son explication dans l'existence en Italie de plusieurs communautés orientales, dites « levantines ». Ainsi, à Rome et à Venise coexistaient des communautés italiennes (de rite romain), achkenazes (depuis le Moyen Age), sefarades (établies après l'expulsion d'Espagne en 1492) et levantines, ayant chacune sa synagogue.

122

123
Arche sainte

Italie (proviendrait de la synagogue de Modène), 1472
Bois sculpté et marqueté
Haut. 265 cm; larg. 130 cm; prof. 78 cm
N° Inv. Cl. 12237
Don Rothschild, collection Strauss n° 1

Meuble à deux corps sculpté en bas-relief et peint avec marqueterie en bois de couleurs, dite « Certosina ».
Corps supérieur orné sur les trois faces de trente-deux panneaux carrés à décor flamboyant répartis sur quatre registres et encadrés de motifs courants en certosina; la face antérieure s'ouvre à deux volets accostés de deux panneaux dormants; aux quatre angles, colonnettes torses qui supportent un entablement à frise flamboyante; inscriptions sur les trois faces, en caractères hébraïques.
La frise est surmontée d'une rangée de créneaux.

Sur la façade, au milieu de la frise dans un ovale קדש ליי
— consacré à l'Éternel — (Ex., XXXIX-30).

A droite (1) : כי מציון תצא תורה ודבר ה'' מירוע
car c'est de Sion que sort la Thora et de Jérusalem la parole du Seigneur (Is., 11-3).

Sur la façade :
שלם תורת ה'' תמימה משיבת נפש עדות ה נֹמֹפֹפֹהֹוֹמֹ לב
L'enseignement de l'Éternel est parfait; il réconforte l'âme. Le témoignage de l'Éternel (2) est véridique il donne la sagesse au simple. Les préceptes de l'Éternel sont droits; ils réjouissent le cœur (Ps., XIX-8-9).

A gauche : כסא כבוד מרום מראשון מֹ מֹ
C'est un trône glorieux; sublime de toute éternité que le Dieu de notre sanctuaire. (Jér., XVII-12). (3)

Corps inférieur, de disposition analogue mais de hauteur moindre (vingt-quatre panneaux répartis sur trois registres); les quatre colonnettes reposent sur un soubassement flamboyant et rejoignent la ceinture, également chargée d'une inscription.

A droite : ארון ברית נעשה לכבוד רם ונֹשא
Arche de l'alliance faite en l'honneur du Très Haut et Sublime (4).

Sur la face : לאלפי חמשה שנת ברכֹי נפשי את ה הללויה
Dans le cinquième millénaire en l'année « Bénis, mon âme, l'Éternel, alleluia ». (Ps., CIV-35).

Les quatre lettres du mot ברכי (bénis) sont signalées. Leur valeur numérique totalise 232, indiquant la date de 5232 de la création, année qui correspond à 1472.

A gauche : אלחנן רפאל בכמ׳׳ר דניאל תֹנֹצֹבֹה
Elhanan Raphaël fils de l'honorable R. Daniel que son âme reste liée au faisceau de la vie (éternelle). (5)

Dans la ceinture, un tiroir recouvert d'une tablette en marqueterie, articulée à charnière et une seconde tablette à glissière. A l'intérieur, garniture en tissus; corps supérieur, velours de Gênes, jaune d'or, et dais en frange de soie; corps inférieur, toile à rayures polychromes.
La tablette est marquetée d'un vase de fleurs, stylisation extrême de l'Arbre de Vie, symbole de la Thora (Prov., III-18).
Dans les deux corps du meuble, le fond est muni de traverses afin d'empêcher les rouleaux de glisser. On peut donc supposer que la synagogue disposait d'un nombre suffisant de rouleaux pour remplir les deux étages. Ce meuble semble être la seule arche sainte du Moyen Age occidental, venue jusqu'à nous.
Outre sa beauté, il représente donc un grand intérêt iconographique. Par ailleurs, les textes qui y sont mentionnés éclairent les enseignements rabbiniques relatifs à la place qu'occupe la synagogue et particulièrement l'arche sainte au sein de la communauté.
Ils démontrent que ces enseignements n'étaient pas perçus comme des allégories sans portée pratique, mais bien au contraire comme une réalité liturgique.
En premier lieu l'architecture du meuble.
Dans la Michna de Kélim (XVII-3) on assimile quant à leur capacité d'être imprégné d'impureté (Toumea) les catégories suivantes : Shida, Teba, Migdal, qui semblent désigner une même sorte de meubles : caisse, coffre et armoire (Migdal littéralement traduit « une tour », donc une armoire en hauteur). L'expression Teba, qui à l'origine désignait l'arche sainte (6), est devenue plus tard dans certaines régions l'appellation de l'endroit où se tenait l'officiant.
Le mot Migdal désigne dans la Bible la chaire surélevée où prenait place le récitant (Néh., VIII-4).
Les deux termes Teba et Migdal, cités côte à côte dans la Michna, ont prêté à confusion et semblent tous deux avoir désigné les deux meubles essentiels de la synagogue : arche sainte et chaire (tribune-Bima) (7). Plus tard on distingue même trois éléments principaux de l'ameublement synagogal : l'arche sainte, le pupitre de l'officiant, la tribune destinée à la lecture biblique (voir n° 124). Bien que l'arche sainte soit appelée le plus souvent Aron-Ha-Kodech, le terme Migdal (Tour) a dû se conserver. Toujours est-il que dans les peintures du Moyen Age en provenance d'Italie l'arche revêt la forme d'une tour.
Un manuscrit enluminé du Tur de Jacob ben Asher exécuté à Mantoue en 1436 (8) montre l'assemblée debout devant une arche sainte, traitée comme une tour de style gothique, surmontée d'une flèche. Elle est également à deux corps comme celle de Modène.
L'arche sainte que visualise la miniature dans le manuscrit Rothschild n° 24, conservé au Musée d'Israël à Jérusalem, et qui date d'environ 1485 est également construite en hauteur. Elle est surmontée d'un ensemble architectural composé d'une coupole et de cinq flèches, qui complètent l'image d'une tour. Et enfin, une peinture dans un manuscrit de Yad-ha-Hazaka (9), contemporain de l'arche de Modène, montre une arche sainte décorée de trois rangées de panneaux en bois sculpté de style gothique. L'arche en hauteur est également surmontée d'une flèche.
L'arche sainte de Cluny est construite sur le même modèle. Les piliers, les remplages et les rosaces des panneaux lui donnent un aspect très architectural. Mais il ne s'agit pas

123

d'une tour d'église; c'est une tour de forteresse qui veut être représentée. Les créneaux, le rythme des panneaux carrés, qui, avec les proportions du meuble lui confèrent un aspect de puissance, suggèrent le château fort.

Ce meuble où sont reproduits tant de textes importants veut peut-être par sa seule forme évoquer le verset des Proverbes (XVIII-10) :

מגדל עז שם ד׳ בו ירוץ צדיק ונשגב

Le nom du Seigneur est une tour fortifiée (Migdal) : le Juste s'y réfugie et est hors d'atteinte.

Reste l'analyse des textes.

Ceux figurant à droite et sur la façade du corps supérieur ne posent pas de problème. Ce sont des textes bibliques, qui glorifient la Thora. Le premier est récité avant chaque lecture de la Thora. Ce sont donc des textes connus de tous et leur place sur une arche sainte paraît aller de soi. La présence du texte de Jérémie : « *C'est un trône glorieux...* » se rencontre rarement sur une arche et trouve son explication en même temps que l'inscription figurant sur la ceinture : *Arche de l'alliance.*

Le terme « l'arche de l'alliance » pour désigner une armoire destinée aux rouleaux de la Thora est exceptionnel, car ce nom est celui de l'arche du Tabernacle et du Temple de Jérusalem où étaient conservées les Tables de la Loi.

Les sages du Talmud en interprétant le verset XX-21 de l'Exode... *En quelque lieu que Je fasse invoquer mon nom Je viendrai à toi pour te bénir...* ont enseigné : « *quelque lieu* » signifie les synagogues et les académies talmudiques. Autrement dit, les rabbins voyaient en chaque synagogue un reflet du Temple de Jérusalem (10).

L'auteur de l'inscription de l'arche de Modène a interprété littéralement cet enseignement talmudique. Il considère son arche comme un reflet de celle du Temple de Jérusalem et l'appelle Arche de l'Alliance.

L'arche de Jérusalem avait en réalité une double fonction. A l'intérieur étaient conservées les Tables de la Loi. Mais cette arche sainte était surmontée de deux chérubins dont les ailes étendues formaient le siège du trône divin. Voici pourquoi le verset de Jérémie : « *C'est un trône glorieux* » a été choisi. La fin de cette partie de l'inscription dit *En l'honneur du Très-Haut et Sublime.* Or, précisément les termes רם ונשא *Très-Haut et Sublime* se trouvent dans le livre d'Isaïe (VI-1) où le prophète décrit sa vision du Seigneur siégeant sur Son trône.

Le donateur de l'arche, en l'appelant Arche de l'Alliance, en fait le Trône glorieux de la Shekina qui, selon l'interprétation des rabbins sera présente en tout endroit, où le nom de Dieu sera invoqué.

Quant à la date, la lecture semble être définitive et les autres lectures proposées précédemment peuvent être abandonnées.

Il est possible d'établir définitivement le nom du donateur de ce meuble. Une partie des lettres formant son nom a disparu ou est cachée sous une restauration ancienne. La lecture du nom Elhanan Raphaël paraît cependant hors de doute. Il s'appelait donc Elhanan Raphaël fils de Daniel.

Bibliographie : Haraucourt, *Catalogue des bois sculptés et meubles du Musée des Thermes et de l'Hôtel de Cluny*, Paris 1925, n° 455.

Ernst Cohn-Wiener, p. 168 (indique la date de 1505 et penche à cause de cette lecture erronnée de la date pour une origine allemande. En 1505, ce style est encore courant en Allemagne, mais dépassé en Italie selon cet auteur. Or, la date qui se lit sans équivoque, 1472, infirme l'argument d'Ernst Cohn-Wiener).

(1) Le mot מירושלם est interrompu au milieu de la lettre ש dont une moitié figure sur le côté droit et qui est reprise en entier sur la façade.
(2) A partir d'ici les mots de ce verset sont indiqués par leur initiale.
(3) Les deux derniers mots du texte biblique sont indiqués par leur initiale.
(4) Allusion à Isaïe, XI-1 : JE VIS LE SEIGNEUR SIÉGEANT SUR UN TRÔNE ÉLEVÉ ET SUBLIME.
(5) Cette eulogie traditionnelle indiquée par cinq initiales fait allusion au verset 29 du chap. XXV de Sam. I. Voir également *Midrash Rabbah* sur la fin de *Haazinu*.
(6) Talmud de Babylone, Taan, II-1, Meg., III-1.
(7) Elbogen; *Der jüdische Gottesdienst*, Francfort-sur-le-Main, 1924, p. 469, s.
(8) Codex Ross. 555, Bibliothèque du Vatican.
(9) Autrefois dans la collection de Hermann Cramer de Francfort-sur-le-Main, reproduit dans *Mitteilungen*, III-IV, 1904, p. 9.
(10) *Midrash Lekah Tov*, sur *Yethro* (Ex., XX-21), enseignement de R. Eliezer b. Jacob.

124
Pupitre d'officiant

Italie, deuxième moitié du 15e siècle
Bois sculpté et marqueté
Haut. 105 cm; larg. 85 cm
N° Inv. Cl. 12238
Don Rothschild, collection Strauss n° 2

Meuble sculpté en bas-relief et peint, avec marqueterie en bois de couleurs, dite certosina.
Coffre à couvercle incliné, formant pupitre; orné sur les quatre faces de vingt panneaux carrés à décor flamboyant, répartis sur deux registres, et encadrés de motifs courants en certosina. Restes de polychromie vermillon (1).
Soubassement restauré.

Bibliographie : Haraucourt, n° 456.

(1) Reproduit dans Ernst Cohn-Wiener, p. 169.

125
Arche sainte

Vienne (Autriche), début 18e siècle
Argent repoussé et ciselé, partiellement doré, serti de verroteries coloriées.
Haut. 56 cm; larg. 21 cm; prof. 14,5 cm
N° Inv. Cl. 12239
Don Rothschild, collection Strauss n° 3

La petite armoire pose sur quatre boules aplaties. Elle est ornée de motifs végétaux et des trois couronnes symboliques.

A chacun des quatre angles de sa base s'élève une colonne torse ; le faîte est surmonté d'un angelot jouant du luth. A l'intérieur se trouve une Thora, enroulée sur des axes en argent. La bandelette (mappa) qui l'entoure est brodée de l'inscription suivante :

נ״י הילד יוסף המכונה יוזל י״ץ בן הקצין כהר״ר שמעון וואלף
ווערטהיים שליטא נולד למז״ט ביום ח״י שבט תקס״ב לפ״ק ה
יגדלו לתורה ולחופה ולמעשים טובים אמן סלה

« Que sa lumière brille, l'enfant Joseph dit Yosel que Dieu le préserve fils du notable Simon Wolf Wertheim... né sous une bonne étoile jeudi 18 Sebat 562 du petit comput (= 1802) Dieu le fera grandir pour qu'il observe la Thora, qu'il fonde une famille, et qu'il accomplisse de bonnes actions. Amen. »

La famille Wertheimer était une famille distinguée de rabbins et de « Juifs de Cour ». Bien que cette mappa porte une date d'environ cent ans postérieure aux poinçons de l'armoire, on peut supposer que celle-ci a dû être commandée par un membre de la famille Wertheimer, probablement par le très influent Samson Wertheimer (1658-1724).
Poinçons : CZR dans trilobé. Caspar Zacharias Raiman, inscrit comme maître depuis 1692 (Reitzner, p. 159, n° 445). Poinçons de Vienne pour le 13 Löthige aux armes des Habsbourg et la date 170 ? (donc avant 1710). Repunzierungsstempel Vienne 1806-1807. Befreiungsstempel 1809-1810.

Bibliographie : Ernst Cohn-Wiener (p. 179) qui la considère comme travail italien.

124

125

126
Keter

Autriche, 18e siècle
Argent ciselé et doré
Haut. 22,5 cm
No Inv. Cl. 12258
Don Rothschild, collection Strauss no 7

La couronne hexagonale, scandée de pilastres et décorée de
motifs végétaux, de coquilles, de corbeilles de fruits et
d'oiseaux est surmontée d'une autre couronne plus petite.
Sur sa base est gravée l'inscription :

שייך להרבני מ״ו מרדכי בהנגיד מ״ו אברהם כהנא ואשתו
שרה בת הרבני מ״ו משה זצ׳ תקמ׳

*Appartient à notre maître le Rabbin Mardochée fils du notable
Abraham Kahanne et à son épouse Sara fille du Rabbin
Moïse que la mémoire du Juste soit bénie 540 [= 1780].*

Poinçons : CD dans un ovale. 12 D; grand poinçon de
recense de Lemberg (Lwow) 1806-1807. Poinçon de
nécessité (Notstempel) 1809-1810.
Entre les montants étaient suspendues des clochettes qui
ont disparu.
La couronne destinée au rouleau de la Thora possède une
particularité qui la fait reconnaître immédiatement. Son
originalité consiste dans le fait que la grande couronne est
en général surmontée d'une autre, plus petite. Cette forme
particulière fait allusion à un texte du Traité des Pères
(IV-17) où il est dit au nom de R. Simon : « *les couronnes
sont au nombre de trois : la couronne de la Thora, la couronne
de la prêtrise et la couronne royale. Cependant la couronne de
la bonne renommée les dépasse toutes.* » (En hébreu : la cou-

ronne du bon nom les surmonte toutes.) La petite couronne
qui surmonte la grande couronne de la Thora est donc
l'endroit tout désigné pour recevoir l'inscription de dédicace
qui fixera « le bon nom » du généreux donateur.

127
Mappa

Crémone (Italie), 1582
Canevas, doublé de lin
Haut. 15 cm; long. 330 cm
No Inv. Cl. 12336
Don Rothschild, collection Strauss no 124

La bandelette est brodée d'un motif végétal avec des fils
de soie jaune, verts et roses.
Au-dessus et au-dessous est brodé un texte hébraïque qui
mentionne les noms des donateurs et des versets bibliques
exaltant la Thora.

Au-dessus :

אשר נדרתי אשלמה ישועתה לה׳ ישראל בכהר יקותיאל ויץ
כה״ק רפא יי״ץ : ע״י זוגתי מרת חוה שתי׳ בת האלוף כהר״ר
דוד שמואל כה״ק זצ״ל מפארט : מפה זו עשתה לכבוד התורה :
לקיים זה אלי ואנוהו התנאה לפניו במצות : שנת שמ״ב לפ״ק פה
קרימונה : ויהי כבוד ה׳ לעולם

*J'accomplirai les vœux que j'ai prononcés, le secours vient de
l'Éternel (1) Israël fils de Jékutiel dit Vaes (?) — Cohen-
Rapa que Dieu le garde : (fait) par son épouse dame Ève
qu'elle vive! Fille du notable David Samuel Cohen, de sainte
mémoire de Porto. Elle a fait cette bandelette en l'honneur de
la Thora afin d'accomplir* [l'enseignement des sages au sujet
du verset] « *Voilà mon Dieu je Lui rends hommage.* » (2)

[Cela signifie] *embellis-toi devant Lui en embellissant l'accomplissement des prescriptions divines. En l'année 342 du petit comput (= 1582) ici Crémone. Et que la gloire du Seigneur dure à jamais.* (3)

Au dessous :

תורת ה׳ תמימה משיבת נפש : עדות ה׳ נאמנה מחכימת פתי : פקודי ה׳ ישרים משמחי לב : עץ חיים היא למחזיקים בה ותמכיה מאשר : דרכיה דרכי נעם וכל נתיבותיה שלום : ישראל נושע בה׳ תשועת עולמים : אשריך ישראל נושע בה׳ מגן עזרך : זה לי ולזוגתי לזכרון עד יום אהרון א׳׳ס

L'enseignement de l'Éternel est parfait, il réconforte l'âme. Le témoignage de l'Éternel est véridique, il donne la sagesse au simple d'esprit. Les préceptes de l'Éternel sont droits, ils réjouissent le cœur. (4)
Elle [la Thora] *est un Arbre de Vie pour ceux qui se l'approprient.* (5)
Heureux ceux qui prennent appui sur elle. Ses voies sont pleines de délices et tous ses sentiers aboutissent à la paix. (6)
Israël sera sauvé par l'Éternel, sauvé à jamais. (7)
Heureux es-tu Israël, sauvé par l'Éternel, ton bouclier. (8)
Ceci sera de moi et de mon épouse en souvenir jusqu'à la fin des jours. Amen Sela.

Le nom ויץ כה׳׳ץ רפא — Vaes Cohen Rapa — est d'une lecture incertaine. Il semble que רפא doive se lire Rapa, ce nom étant une déformation de « Rabe » le mot allemand pour « Corbeau ». Nous rencontrons en effet ce nom orthographié de la même façon dans un livre imprimé à Vérone en 1594.
Il s'agit de l'ouvrage מנחה בלולה — Minha Belula —, rédigé en 1582 par Abraham Menahem b. Jacob Cohen Rapa de Porto. L'auteur signe : *Mibne Ha'Orvim* (descendant des Rabe-Corbeau) et le corbeau figure dans son

blason comme armes parlantes (fol. 207 verso). Ce nom allemand porté par un homme originaire de Porto (Portugal) ne doit pas surprendre, car il signe *Achkenazi* (l'Allemand).

(1) Jonas, II-10.
(2) Ex., XV-2.
(3) Ps., CIV-31.
(4) Ps., XIX-8-9.
(5) Prov., III-18.
(6) Prov., III-17.
(7) Is., VL-17.
(8) Deut., XXXIII-29 texte légèrement tronqué.

128
Mappa (bandelette pour enrouler autour de la Thora)

Italie, 16e siècle
Toile de lin
Haut. 21 cm; long. 345 cm
No Inv. Cl. 12325
Don Rothschild, collection Strauss no 111

La broderie de fil rouge dite « punto-scritto » représente un décor floral stylisé et un texte en trois lignes à chaque extrémité :

נדבה לה מאת מרת יודיט תמא – אשת כמ׳ מרדכי רפאל יצ׳׳ו מפאנו :

« Offrande à l'Éternel de la dame Giudita qu'elle soit bénie entre les femmes (1). *Amen. Épouse de Mordekhai Raphaël que Dieu le garde de Fano. »*

Une mappa très similaire se trouve au Musée juif de New York (Inv. F 5083). Elle a été publiée par Cissy Grossman dans *Journal of Jewish Art*, vol. VII, 1980, p. 40.

(1) Allusion à Juges V-24.
Nous lisons GIUDITA à cause du point sur la lettre ט qui semble remplacer une lettre finale qui manque.

129
Mappa

Italie, 17e siècle
Satin de soie rouge bordeaux
Broderie en fils d'or et de soie
Haut. 17,5 cm; long. 314 cm
No Inv. Cl. 12324
Don Rothschild, collection Strauss no 110

La broderie représente une décoration florale. Au milieu figure la dédicace :

לכבוד ה׳׳ ולתורתו מ׳ קונסולא א׳ [1] יחיאל כהן יצ׳׳ו

En l'honneur de l'Éternel et de sa Thora.
La dame consola l'épouse de Yehiel Cohen que Dieu le garde!

(1)   א = אשת

129

130

130
Mappa

Italie, 1620
Toile de lin
Haut. 17,5 cm; long 332 cm
N° Inv. Cl. 12337
Don Rothschild, collection Strauss n° 125

Lin brodé et ajouré au point coupé.
La broderie est exécutée au point passé plat aux fils de soie rose passé, vert et jaune.
Les lettres sont bordées de fils d'or.
Le texte est difficilement lisible; la date cependant ressort clairement, le mot ישעה est signalé; sa valeur numérique est de 5380, date qui correspond à 1620.

131
Me'il

Fin 18e siècle
Soie
Haut. 19,5 cm; larg. 29,5 cm
N° Inv. Cl. 12369
Don Rothschild, collection Strauss n° 135

Le manteau est en soie brochée bleue, doublée de lin.
En application les lettres ס ת (pour ספר תורה : *Rouleau de la Thora*).

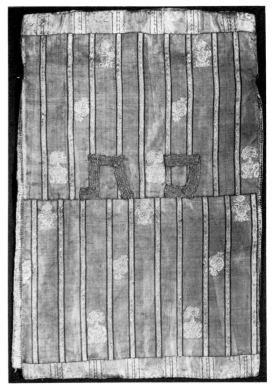

131

132
Petit me'il

1869
Soie
Haut. 11 cm
N° Inv. Cl. 12360
Don Rothschild, collection Strauss n° 142

Le petit manteau en soie verte est décoré de la date couronnée 5629 [1869] en application de perles et de fil d'or.

132

133

133
Parokhet

Italie, fin 18ᵉ siècle
Velours
Haut. 234 cm; larg. 136 cm
Nᵒ Inv. Cl. 12297
Don Rothschild, collection Strauss nᵒ 81

Le rideau rouge grenat est décoré d'applications de broché et de velours gris perle, vert, rose et bleu pâle en forme de volutes dont certains motifs rappellent la fleur de lis.
Au centre figurent les Tables de la Loi dans un médaillon de volutes surmonté d'une couronne fermée. La disposition de la décoration n'est pas sans rappeler les reliures vénitiennes de la fin du 18ᵉ siècle.

134
Nappe

Italie?, fin 18e siècle
Velours
Haut. 104 cm; larg. 69 cm
No Inv. Cl. 12298
Don Rothschild, collection Strauss no 82

La nappe en velours grenat est destinée au pupitre sur lequel on lit la Thora.
Elle est décorée d'applications en broché et en velours gris perle dont les contours sont délimités par un fil d'argent torsadé. Le décor représente des volutes qui se terminent en fleurs de lis. La présente nappe forme avec le Parokhet précédent une garniture.

135
Parokhet

Turquie, 19e siècle
Velours, argent
Haut. 1,88 m; larg. 1,32 m
No Inv. Cl. 18800
Don Camondo, 1912

Le rideau de velours gris est décoré d'un mighrab dans lequel est représenté le chandelier à sept branches. Celles-ci sont formées par le texte du Psaume LXVII, composé en lettres découpées dans des plaques d'argent et cousues sur le tissu.
Les branches sont séparées par une ornementation de clous et de plaquettes d'argent en partie dorées.
Au pied du chandelier, de chaque côté un arbre, l'Arbre de Vie, symbole de la Thora; aux quatre angles, des plaquettes plus grandes, décorées d'une fleur.

En haut : ז ה ה ל צ י ב — initiales du verset CXVIII-20 des Psaumes : *Voici la porte de l'Éternel, les justes la franchiront.*
Le mighrab et l'arche sainte symbolisent des portes ouvrant sur le ciel.

Plus bas : שויתי ד׳ לנגדי תמיד — *Je fixe constamment mes regards sur le Seigneur.* (Psaumes, XVII-8.)
Ce verset figure traditionnellement sur le Parokhet ou sur le pupitre du chantre.

Au-dessous : שמחו בה גילו צדיקים והרנינו כל ישרי לב
Réjouissez-vous en l'Éternel, soyez dans l'allégresse, ô justes, entonnez des chants de triomphe, vous tous, cœurs droits. (Ps., XXXII-11.)

Le Psaume LXVII, mis à part les mots d'introduction, se compose de sept fois sept mots qui le mettent en relation avec le chandelier à sept branches et renferme des « noms » mystiques.
Ainsi les deux « noms » figurant au pied du chandelier se composent des lettres finales des versets.
A droite, צום (1), est une des trois voies possibles pour obtenir le pardon divin.
A gauche, הכם (2), est un « nom » dont la valeur numérique est identique à celui du nom « Seigneur ».
Un rideau de tabernacle représentant des motifs de décoration semblables se trouve au Musée juif de Londres. (Barnett no 57, « Oriental, said to be Turkish ».) Un autre, d'origine allemande du 18e siècle, se trouve au Germanisches Nationalmuseum, Nuremberg et a été reproduit dans le catalogue *Recklinghausen* (no C13).

(1) צום - fin des versets 8, 7, 6.
(2) הכם - fin des versets 2, 3, 4.

134

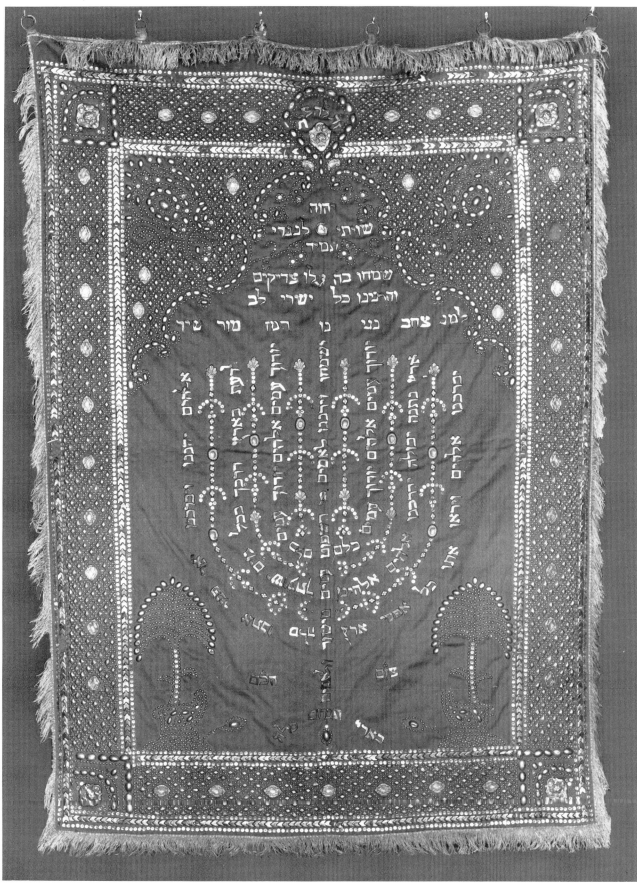

135

136
Petit parokhet

18e-19e siècle
Velours grenat
Haut. 92 cm; larg. 55,5 cm
Nº Inv. Cl. 12367
Don Rothschild, collection Strauss nº 148

Le rideau est décoré d'un filet en fil d'argent et des lettres
כ ת (pour כתר תורה), Couronne de la Thora.

136

137
Rimone (un seul)

Italie, 18e siècle
Argent
Haut. 43,5 cm
Nº Inv. Cl. 12310
Don Rothschild, collection Strauss nº 98

Le rimone est en forme de tour à deux étages posée sur une
coupe gravée, que soutient un tube cylindrique qui émerge
d'une base à sept côtés.
A chaque étage, six colonnes supportent un toit.
Entre les colonnes se trouvent des fenêtres monumentales
arrondies à la partie supérieure et protégées par une balustrade à la partie basse.
Devant les fenêtres sont appliquées des figurines en fonte.
Au premier étage elles représentent :

1. le chandelier à sept branches; 2. la tunique des prêtres;
3. les Tables de la Loi; 4. une main qui verse de l'eau
(service des Lévi); 5. une arche surmontée d'ailes; sur
l'arche on lit le nom divin « Shadai »; 6. un encensoir.
Toutes les figurines reposent sur une fleur de lis.
Au deuxième étage les figurines représentent : 1. un pot
de fleurs; 2. une grappe de raisin; 3. un turban; 4. l'arche,
surmontée d'ailes; 5. les mains bénissantes des prêtres;
6. la mitre des grands-prêtres.

Ces figurines reposent également sur des fleurs de lis.
Le deuxième étage est coiffé d'un dôme, surmonté d'un
bouton. Six chaînettes torses, auxquelles sont suspendus des
grelots, complètent le rimone.

137

Les mêmes figurincs se retrouvent sur d'autres objets du culte d'origine italienne (voir nᵒˢ 8 et 9) datés de la deuxième moitié du 18ᵉ siècle. Les appliques sur ce rimone sont d'une fonte grossière, et d'aspect tardif. Le style de la gravure sur la coupe et sur le dôme indique également la fin du 18ᵉ siècle.
Poinçon : difficile à lire et répété sur les différents éléments qui composent le rimone.

138

138
Rimone

Lemberg (Lwow-Galicie, Empire Autriche-Hongrie), 1814
Argent repoussé, gravé, partiellement doré
Haut. 12,8 cm; diam. du pied 6,7 cm
Nᵒ Inv. Cl. 12270
Don Rothschild, collection Strauss nᵒ 40

Le pied cylindrique posant sur une base circulaire à colle-rette décorée de palmettes est surmonté d'une couronne fermée dans laquelle est suspendue une clochette. Le pied et la base sont gravés d'une décoration de feuilles.
Poinçons : Garantie de Lemberg (D) 1814. Le maître I.O.F.

Bibliographie : Reproduit dans Ernst Cohn-Wiener, p. 180.

139
Petite couronne pour la Thora (fragment?)

Probablement Autriche-Hongrie, 19ᵉ siècle
Argent
Haut. 5,6 cm
Nᵒ Inv. Cl. 12250
Don Rothschild, collection Strauss nᵒ 144

139

Couronne fermée par six branches. Décor de feuilles et de fleurs.
Il s'agit probablement du sommet d'un rimone.

140-141
Deux fragments de Rimone

Allemagne (?), 17ᵉ-18ᵉ siècle
Argent
Haut. 6,5 cm; larg. 3,8 cm
Nᵒ Inv. Cl. 12271 a et b
Don Rothschild, collection Strauss nᵒ 41

Deux sommets de Rimone.
Ils se présentent comme de petits édicules. Quatre colon-nettes torses soutiennent une coupole percée à jours et sur-montée d'un bouton.
A l'intérieur est suspendue une clochette.

140-141

142-143

142-143
Deux amortissements de Rimone (?)

18e siècle
Argent doré
Haut. 5,3 cm; diam. de la base 2,3 cm
No Inv. Cl. 12304 a et b
Don Rothschild, collection Strauss no 92

Deux objets identiques, de forme conique, surmontés
d'une boule et décorés de fleurs sur des bandes en spirale.
Ils sont percés d'un pas de vis.

144
Tass

Rome (Italie), vers 1700
Argent repoussé et doré
Ovale 21,2 cm × 17,1 cm
No Inv. Cl. 22889
Collection Strauss no 31 (trouvée en magasin)

La plaque ovale au contour irrégulier est décorée au centre
des Tables de la Loi, inscrites dans une guirlande circulaire.
Elle est encadrée par une ornementation symétrique, de
style rocaille, composée de feuillages de fleurs et de fruits.
Dans la partie inférieure est ménagée une fenêtre rectan-
gulaire, ouverte sur une cassette fixée au dos de la plaque.
Dans cette cassette se trouvent cinq petites plaquettes gravées sur les deux faces aux noms des fêtes.
Des trous dans le contour inférieur indiquent l'emplacement des clochettes qui ont disparu.
Dans la partie supérieure, deux trous semblent avoir servi
de fixation à une couronne, qui a également disparu.
Poinçons : Rome vers 1700 (les clefs de Saint-Pierre surmontées de la lettre G). Le maître IMF.
Chaînette de suspension.
Il convient de rapprocher le décor de cette plaque de l'ornementation des rideaux brodés de cette époque et de l'épi-
thalame (cat. no 55).

145
Tass (plaque ornementale pour la Thora)

Allemagne, début 18e siècle
Argent fondu, ciselé et gravé, partiellement doré
Haut. 18 cm; larg. 24,8 cm
No Inv. Cl. 12259
Don Rothschild, collection Strauss no 26

Sur la plaque de forme rectangulaire fondue à jours, sont
appliqués divers motifs ornementaux. La glissière contenant
les plaquettes gravées aux noms des fêtes est délimitée par
un cadre fait de fleurs de lis et flanquée de deux colonnes
qui supportent chacune un angelot.
Au-dessus de la cassette une couronne, de chaque côté
des colonnes deux anges debout, tournés l'un vers l'autre,
surmontés chacun d'une couronne étroite. Les trois couronnes sont faites d'une rangée de fleurs de lis, posée sur
une bande décorée. Sous les colonnes, des putti, et sous la
cassette deux lions s'affrontant.
Clochettes, chaîne et crochet de suspension.
Schœnberger a publié une série de six plaques ornementales
et un fragment qu'il croit pouvoir attribuer à Johann
Matthias Sandrart, s'appuyant sur des considérations
stylistiques, bien qu'une seule d'entre elles porte le poinçon
du maître. S'il a probablement raison pour plusieurs
d'entre elles, l'attribution de ce Tass paraît plus douteuse.
Le trait le plus caractéristique des plaques de Sandrart est
leur cadre irrégulier de rinceaux, pratiquement identique
pour trois d'entre elles. Or celle-ci présente un encadre-

144

145

ment droit légèrement bombé qui lui donne un aspect
différent. La seule ressemblance se trouve dans l'emploi
des fleurs de lis, indice trop faible pour attribuer cette plaque
à Sandrart.

On peut comparer cette plaque avec celle du Jewish Museum
à New York (cat. Kayser n° 44) et avec celle décrite dans le
catalogue *Anglo-Jewish Historical Exhibition,* Londres,
1887, n° 1459.

Bibliographie : Guido Schœnberger, *Der Frankfurter
Goldschmidt Johann Matthias Sandrart,* dans *Schriften des
Historischen Museums Frankfurt-am-Main,* XII, 1966.

146

147

146
Tass

Autriche, 18e siècle
Argent repoussé, partiellement doré
Haut. 20,3 cm; larg. 15,8 cm
Chaînes de suspension
No Inv. Cl. 12261
Don Rothschild, collection Strauss no 28

Dans un encadrement de rinceaux et de coquilles la décoration représente au centre le Décalogue flanqué des colonnes torses, « Jachin » et « Booz », décorées de grappes de raisins. Les colonnes supportent un dais surmonté par une couronne ouverte.
Poinçons : Recense (Befreiungsstempel) : Autriche-Hongrie, 1806-1807.

147
Tass

Europe centrale, vers 1800
Argent gravé, filigrané, partiellement doré, serti de verroteries
Haut. 12 cm; larg. 10,8 cm
Chaîne de suspension
No Inv. Cl. 12262
Don Rothschild, collection Strauss no 30

Le décor représente une arche sainte flanquée de deux colonnes torses surmontées de lions qui tiennent une couronne.
Deux petites portes s'ouvrent en découvrant une figurine du rouleau de la Thora.
Au-dessus des portes sont gravées les initiales כ ת (pour כתר תורה : Couronne de la Thora).
Exemple typique de travail populaire villageois (le « Stettel ») qui veut refléter le souvenir des splendeurs passées.

148

149

148
Tass

Allemagne (?), Autriche (?), 19e siècle
Argent partiellement doré
Haut. 8 cm; larg. 7 cm
Chaîne de suspension
No Inv. Cl. 12328
Don Rothschild, collection Strauss no 116

La petite plaque se présente sous la forme d'un écusson.
Elle est décorée des Tables de la Loi flanquées de deux
lions dressés et surmontées d'une couronne fermée.

149
Tass

Pologne, 19e siècle
Argent, partiellement doré
Haut. 21,5 cm; larg. 15 cm
Chaîne de suspension
No Inv. Cl. 12260
Don Rothschild, collection Strauss no 27

La plaque d'un contour irrégulier est bordée de volutes.

Le décor représente au centre une arche sainte couronnée,
sur laquelle se tiennent deux oiseaux. Elle est flanquée de
deux colonnes également couronnées sur lesquelles se
dressent des lions, qui supportent une couronne ouverte.
Au-dessus de celle-ci, deux oiseaux. La plaque est surmontée de deux lions. Au-dessous de l'arche, deux cerfs
tiennent un chaton octogonal sur lequel est gravé le mot
שבת : *Sabbat*.
Sous les cerfs sont gravés les mots רץ כצבי : *rapide comme
le cerf.*
Les deux portes ajourées s'ouvrent en découvrant une
figurine du rouleau de la Thora.
L'inscription רץ כצבי, « rapide comme le cerf », fait allusion à l'enseignement de Ben Teima. (Traité des Pères,
V-23) : ...« *Sois rapide comme le cerf... pour accomplir la
volonté de ton Père qui est aux cieux.* »
Poinçons : 12 dans un rectangle. Le maître AS (ou AB?).
ET dans un rectangle (Paris 1864-1893, pour objets impor-
tés, sans garantie de titre).

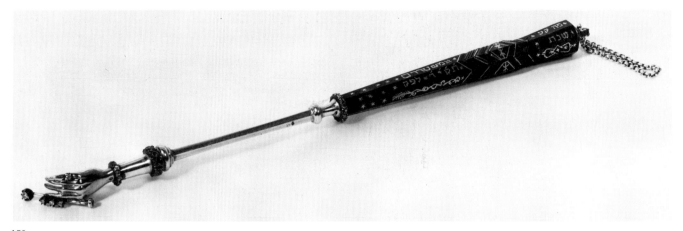

150

150
Yad

Amsterdam (Hollande), 1754
Jaspe, or, brillants et rubis
Long. 20,5 cm
N° Inv. Cl. 12334
Don Rothschild, collection Strauss n° 122

Le manche est en deux parties. Le haut est en jaspe incrusté
d'une inscription en lettres d'or sur sept faces. La partie
inférieure est en or et se termine par une main sertie de
brillants et de rubis.
Cette partie semble être du 19e siècle.

| Face 1 | הק׳ שמואל |
| | *Samuel.* |

| Face 2 | זנוויל בהקצין כ׳ שמעון |
| | *Zangwill fils du notable Simon.* |

| Face 3 | פאלק זצ״ל |
| | *Polak (Falk?) de sainte mémoire.* |

| Face 4 | מערלה בת הקצין |
| | *Mirele (= Miryam) fille du notable.* |

| Face 5 | כהרר טובי׳ בועז יצ״ו |
| | *Tobias Boas* |

| Face 6 | פה קק אמשטרדם |
| | *Ici la sainte communauté d'Amsterdam.* |

| Face 7 | שנת תקי״ד לפ״ק |
| | *L'année 514 du petit comput* [1754]. |

Poinçons français d'importation et de remarque.
Le travail d'incrustation rappelle celui des bagues juives
faites en Italie au 18e siècle avec l'inscription :
להדליק נר של שבת : *bijoux pour le Sabbat.*
Tobias Boas était le plus puissant banquier des Pays-Bas
au 18e siècle. L'empereur Joseph II et le roi de Suède
Gustave III lui rendirent visite. (Voir M. H. Gans, *Memorboek,* p. 243.)

151
Yad

Mulhouse, 18e siècle
Argent, partiellement doré
Long. 40 cm
N° Inv. Cl. 12266
Don Rothschild, collection Strauss n° 34

Le manche est composé de deux parties : la partie supérieure, à quatre faces est recouverte d'inscriptions, comprise
entre deux boules dont la première est dorée et ajourée ; la
partie inférieure est torse. Anneau de suspension.
Les inscriptions sont de trois époques différentes.

| A. | זה המורה נעשה לכבוד התורה |
| | *Cette main a été faite en l'honneur de la Thora.* |

| B. | יום א׳ רח סיון תקי״ב לפ״ק |
| | *Dimanche, Néoménie de Sivan 512* [1752]. |

| C. | ארי׳ בר יעקב מאופה |
| | *Arieh fils de Jacob d'Uffheim.* |

| D. | וזוגתו מ׳פעס בת יהודה |
| | *et son épouse Pess fille de Juda* |

On a rajouté : sur la face A בושווילר : *Bischwiller* ; sur la
face B תקמ״ו לפק : *1786 du petit comput* ; sur la C וואלף :
Wolf ; sur la face D בילה : *Bella.*

Sur la petite boule :

יששכר חיים בן בנימין חיה פייאה בת ישי תר״י
Issachar Haim fils de Benjamin et Haya Fea fille de Jesse 610
[1850].

Poinçons : Mulhouse 18e siècle (voir Helft 1256-1257).
Le maître, AM (Abraham Mayr ?).
L'orthographe בושווילר pour Bischwiller n'est pas habi-
tuelle. On pourrait également lire Buxwiller. Uffheim était
un centre important du Judaïsme alsacien.
Le nom מורה dans le sens de main indicatrice ne se ren-
contre que très rarement en Europe, plus souvent en
Afrique du Nord. Le mot se retrouve dans la Bible (Joël,

II-33, Job, XXXVI-22). C'est probablement d'après Prov., VI-13 מורה באצבעותיו (« *montre de ses doigts* ») que le nom מורה a été choisi pour ce yad.

En Alsace on trouve des rouleaux de la Thora particulièrement grands. Cette main, très grande également, a été faite en proportion, comme d'autres grandes mains alsaciennes conservées dans diverses collections.

152
Yad

Kronstadt (Autriche), fin 18ᵉ siècle
Argent
Long. 28,5 cm
Nᵒ Inv. Cl. 12268
Don Rothschild, collection Strauss nᵒ 36

Manche à quatre faces décoré de deux boules, dont l'une au milieu et l'autre à l'extrémité; cette dernière est percée à jour. Anneau de suspension et chaînette.

Face A   זאת היד שייך להאלוף הקצין ר׳ יעקב
Cette main appartient au notable Jacob.

Face B   מרדכי ב״ר יששכר בער זל מבוטצין
Mardochée fils d'Issachar Baer de Butzen —

Face C   בורג לסדר ולפרט כי גדול מׇרדכי
burg à l'époque (de Pourim) et dans l'année car Mardochée fut grand.

Face D   בבית המלך לפק יום ג שנכפל בוכ״ט חי שבט
Dans le palais du roi, du petit comput mardi le jour privilégié, 18 Sebat.

La valeur totale des lettres marquées donne 544 [1784].
Poinçons : le chiffre 12 couronné : Kronstadt. Le maître, Frese.
Le 18 Sebat précède d'environ d'un mois la fête de Pourim. Si ce verset du livre d'Esther a été choisi, c'est probablement parce que le donateur était le fournisseur ou familier de la Cour.
« *Mardi jour privilégié.* » Dans le récit de la Création il est écrit de ce jour que Dieu dit deux fois « *et Il vit que cela était* bon ».

151   152

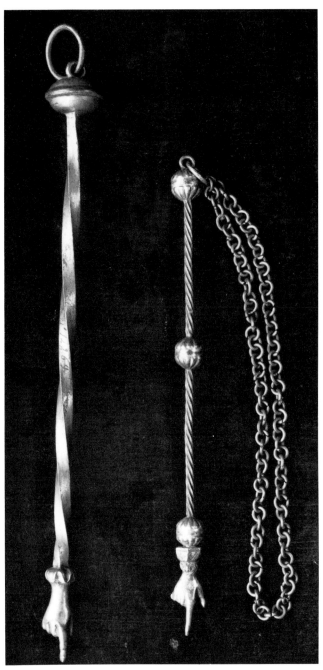

153   154

154
Yad

Europe centrale, 18e siècle
Argent partiellement doré
Long. 17,5 cm
No Inv. Cl. 12265
Don Rothschild, collection Strauss no 33

Le manche tors est décoré par trois boules godronnées, qui le séparent en deux parties égales. Le poignet est entouré d'une manchette.
Poinçon : Lettre A dans losange, poinçon de recense (Repunzierungsstempel), Vienne (Autriche) 1806-1807.

155
Yad

Galicie (Autriche), environ 1800
Argent, partiellement doré
Long. 21 cm
No Inv. Cl. 12264
Don Rothschild, collection Strauss no 32

La partie inférieure du manche est décorée de motifs végétaux. Une boule au milieu du manche supporte deux lions qui soutiennent une couronne. Elle est surmontée d'un lion qui tient les Tables de la Loi. Dans la manchette qui recouvre le poignet, a été incorporée une petite boule ajourée.
Poinçon français pour les ouvrages d'art ou de curiosité : ET.
La décoration végétale suggère l'aspect d'un arbre, l'Arbre de Vie, symbolisant la Thora. La couronne est celle de la Thora (Keter Thora).
Kayser (no 58) décrit une main semblable.

156
Yad

Magdebourg (Allemagne), avant 1843
Argent
Long. 20,5 cm
No Inv. Cl. 12267
Don Rothschild, collection Strauss no 35
La partie supérieure, comprise entre deux boules, est à quatre faces.

La partie inférieure est torse. La main dont l'index est pointé sort d'une manchette.
Chaînette de suspension.

Face A   שייך לה״ק אלעזר במהריל אהלפעלד
Appartient à Eleazar fils de Juda Loeb Ahlfeld.

153
Yad

Europe centrale, 18e siècle
Argent doré
Long. 21,5 cm
No Inv. Cl. 12269
Don Rothschild, collection Strauss no 37

Le manche tors se termine par une boule aplatie avec anneau de suspension. Le poignet est entouré d'une manchette.

155   156

Face B   ולזוגתו מרת רבקה בת ר׳ שמואל צבי
et à son épouse Rebecca fille de Samuel Zbi

Face C   לזכרון שמם בקק מאגדעבורג
afin de perpétuer leurs noms dans la sainte communauté de Magdebourg.

Face D   לפרט וידי הגדולה תהיה לכם לשם
La valeur numérique des lettres marquées totalise 603 [1843].

Le style de l'objet pourrait faire croire qu'il est plus ancien que la date ne l'indique.

157
Velours ponceau

Début 19e siècle
H. 0,320; larg. 0,310
No Inv. Cl. 12340
Don Rothschild, collection Strauss no 128

Ce rectangle de velours ponceau est bordé par une dentelle d'or, et a dû servir pour couvrir le pupitre du chantre.

157

158-159-160-161
Quatre nappes

Italie, 18e siècle
Taffetas de soie, brodé de fils d'or et de soie
Haut. 61 cm; larg. 61 cm
No Inv. Cl. 12338 a, b, c et d
Don Rothschild, collection Strauss no 126

Les nappes de taffetas blanc cassé ont un contour rond irrégulier. Leurs broderies centrales représentent des symboles et sont exécutées au point de tige dans des fils de couleurs variées; autour du motif central des textes sont brodés au fil d'or.
Elles sont destinées aux fêtes du Nouvel An, au Grand Pardon, au dernier jour de la fête des Cabanes (Hosana Rabba) et à la Fête de Clôture.
Ces quatre jours de fête sont considérés comme des jours de jugement, d'où la couleur blanche du taffetas.

La manière de versifier le texte est typique de l'Italie; la forme des lettres indique la même origine. Leur usage n'est pas déterminé. Elles servaient, soit à décorer la table de fête familiale, soit à couvrir le rouleau de la Thora entre deux lectures.

a) Au centre est brodée en soie verte, noire et beige la corne (de bélier) entourée d'un ruban sur lequel on lit :

La corne du nouvel an. שופר של ראש השנה

Tout autour est brodé en fil d'or le texte suivant :

מצות היום בשופר זכור תזכור ותשוח וישוב העפר
שובה ישראל לא תבוש ולא תחפר ותיטב לה׳ משור פר
תרי יומי הויין כחדא דינא קשיא דינא רפיא
אית דינא ודיינא הדא אמרה שוין כל אפיא

La prescription [essentielle] de ce jour est de sonner la corne (1)
Souviens-toi bien et que ton âme s'humilie (2)
pour que [ce qui n'est que] poussière se repente. Reviens ô Israël, pour que tu ne sois point confondu, ni couvert de honte (3)
et [le repentir] sera plus agréable à l'Éternel que [le sacrifice] d'un taureau aux cornes puissantes (4)
Les deux jours [de la fête] ne font qu'un seul (5)
Le verdict sera sévère pour l'un, clément pour l'autre car juge il y a et jugement (6)
ce qui revient à dire que tous les hommes sont égaux (7).

(1) Nomb., XXIX-1.
(2) Lam., III-20.
(3) Var. Ps., XL-16 et Is., ILV-4.
(4) Ps., LXIX-32.
(5) Les deux jours du Nouvel An sont considérés comme une longue journée de quarante-huit heures « Yom Arikhta ».
(6) « Les mécréants disent il n'y a point de Juge, point de Jugement », locution talmudique.
(7) Deut., X-17, « Dieu qui ne fait pas d'acceptation de personnes ».

b) Au centre est représenté le לשון של זהורית, le « fil rouge »; rouge en haut, blanc en bas. Il s'agit du fil qui fut attaché aux cornes du bouc émissaire et qui devenait blanc si Israël avait obtenu le pardon. Ce fil est appelé לשון littéralement traduit « langue ». C'est pourquoi il est représenté sous cette forme.

Le texte :

שובו שובו בית ישראל שובו וחיו הנה יום בא יום הכפורים הוא
לשון של זהורית הביטו וראו כלו הפך לבן טהור הוא
אם יהיו חטאיכם כשנים כשלג ילבינו
לו חכמו ישכילו זאת לאחריתם יבינו

Repentissez-vous, repentissez-vous, maison d'Israël
Repentissez-vous pour que vous viviez! (1)
Voici un jour vient (2), c'est le jour du pardon
Regardez le fil écarlate et voyez il a complètement blanchi il est pur (3)
Vos péchés fussent-ils comme le cramoisi, ils peuvent devenir blancs comme neige (4)
S'ils étaient sages, ils y réfléchiraient, ils comprendraient ce qui leur arrivera (5).

(1) Var. Ez., XXXIII-11.
(2) Allusion à Mal., III-19.
(3) Le texte est celui du Lév., XIII-13 qui, bien qu'employant exactement les mêmes mots parle d'un sujet différent.
(4) Isaïe, I-18.
(5) Var. Deut., XXXII-29.

158

159

160

161

c) Au milieu est brodé un bouquet de branches de saule, en fils de soie bruns, verts et beiges.

Le texte : הודו אל אל השמים בוחן כליות ולבות
בערבים עלי מים סלו לרוכב בערבות
אגד מצריך צריך
חביט חביט ולא בריך

Rendez hommage au Dieu du ciel (1)
Il sonde les reins et les cœurs (2)
Avec des branches de saule [qui poussent] au bord de l'eau (3)
Exaltez celui qui chevauche dans les hauteurs célestes (4)
Il est obligatoire de lier les branches (5)
Mais sans réciter de bénédiction (6).

Le septième jour de la fête des Cabanes est appelé Hosana Rabba. Il termine la période du Jugement (Nouvel An, Grand Pardon) et on lui attribue une place importante dans ce cycle, car comme disent les Sages du Talmud « *Tout dépend de la fin* ».
Ce jour-là on priait spécialement dans le Temple de Jérusalem pour la pluie en agitant des branches de saule car l'eau est considérée comme la source de bénédiction.

(1) Var. de Ps., CXXXVI-26.
(2) Var. de Jer., XI-20.
(3) Var. Is., XXXXIV-4.
(4) Var. Ps., LXVIII-5.
(5) Talm. Bab. traité de Suka, fol. 44 vº.
L'obligation de lier les branches dont il est question dans le Talmud s'applique au Loulab. La raison invoquée, est l'embellissement de la pratique religieuse. Or, cette raison est également valable pour lier les branches de saule.
(6) Shulhan Aruh Orah Haïm § 664-2.

d) Au centre est brodé dans des fils de couleurs beige, vert et rose, un nuage déversant une pluie abondante.
Tout autour, est brodé dans des fils d'or le texte suivant :

דבר בעתו העמק שאלה כי טל אורות טלך מחג הפסח והלאה
גשם נדבות הרם קולך משמיני עצרת ולמעלה
ה' צבאות עמנו הוא היוצר ובורא
ויבא כגשם לנו בעתו מלקוש מורה

Une chose au moment opportun, demande-le avec insistance (1)
Car pareille à la rosée du matin est ta rosée (6), *à partir de la fête de Pâque* (2)
Afin d'obtenir la pluie abondante, élève ta voix (5) *en prière à partir du huitième jour, fête de clôture* (3)
L'Éternel Cebaot est avec nous, lui le Créateur Il viendra à nous comme la pluie (4) *au moment opportun, pluie d'arrière saison, pluie de printemps.*

(1) Allusion à Is., XVII-2 ?
(2) Le premier jour de la Pâque on récite la prière pour la rosée.
(3) Ce jour on récite la prière pour la pluie.
(4) Osée, VI-3.
(5) וקול נרים בטל allusion à la liturgie.
(6) Liturgie de Hosana Rabba.

162

162-163
Deux panneaux brodés

Italie 1723-1724
Satin
Ovales : haut. 59 cm ; larg. 53 cm
Nº Inv. Cl. 12353 a et b
Don Rothschild, collection Strauss nº 133

Deux panneaux à fond grenat, formant pendants, décorés de vases de fleurs, brodés dans des fils de soie de couleur. Sur les deux vases figurent les textes identiques :

מעשה ידי הכבודה מרת שרה מב״ת (1) זוגתו של הגביר כמ״ר
יוסף חי אשכנזי יצ״ו שנת התפ״ד לב״ע

Œuvre de la dame honorée Sara, qu'elle soit bénie d'entre les femmes, épouse du notable Joseph Hai Askenazi que Dieu le garde l'année 5484 [= 1723-24] de la Création du Monde.

Il s'agit peut-être de coussins qui garnissaient les chaires des rabbins.

(1) מנשים באהל תבורך - Juges, V-24.
(2) לבריאת עולם.

163

Troncs à aumônes

164
Tronc à aumônes

Nuremberg (Allemagne), 18e siècle
Argent
Haut. 9,5 cm; diam. 6,3 cm
No Inv. Cl. 12317
Don Rothschild, collection Strauss no 102

Le tronc cylindrique est gravé d'ornements de style Louis XIV et des textes צדקה תציל ממות : *la charité sauve de la mort* (Prov., X-2, XI-4) et מתן בסתר יכפה אף : *le don anonyme fait tomber la colère* (Prov., XXI-14).
Le couvercle est percé de deux fentes parallèles.
Il est probable qu'il s'agisse d'une transformation, mais sans doute du 18e siècle, la belle calligraphie du texte hébreu en fait foi.
Poinçons : Nuremberg, 18e siècle. Le maître (Johann Conrad Weiss ?).

164

165
Tronc à aumônes

Turquie, 1879
Argent gravé et repoussé
Haut. 8,9 cm; diam. à la base 5,4 cm
Nᵒ Inv. Cl. 12329
Don Rothschild, collection Strauss nᵒ 117

L'aumônière en forme de baril à anse est décorée de volutes et de motifs végétaux. Son bord est formé d'un cercle perlé. Dans un écusson est gravé :

בס״ט [= בסימן טוב] המשתדלים בקופה ה״ר מנחם הכהן הי״ו
וה״ר פרץ פינטו היו שנת התרל״ט לבע 5639

Les trésoriers Menahem Cohen et Peretz Pinto, l'an 5639 de la Création du Monde [1879] 5639 [en chiffres arabes].

Poinçons : Touhra. Poinçon indiquant le titre.

165

Objets divers

166
Galet

Ovale
Haut. 10,5 cm; larg. 8 cm
Nᵒ Inv. Cl. 12356
Don Rothschild, collection Strauss nᵒ 138

La pierre est gravée sur les deux faces de l'alphabet hébreu
— y compris les formes finales.
Il est difficile de connaître sa provenance. Les lettres sont
du type sefarade carré et à la fin se trouvent sur une face
cinq lettres en écriture sefarade ronde : ‏אן״ לאב‏.

166

167
Plaquette

Allemagne du Sud, deuxième moitié du 17ᵉ siècle
Émail polychrome sur or
Ovale 4,4 cm × 3,8 cm
Nᵒ Inv. Cl. 12327
Don Rothschild, collection Strauss nᵒ 113

Plaquette en or émaillé représentant le repas pascal.
Le travail de l'émail semble être de l'Allemagne du Sud
et la peinture inspirée d'un modèle italien. (Victor Cor-
tone?).

167

168
Pot

Rudolfstadt, fin 18ᵉ siècle
Faïence
Haut. 14 cm
Nᵒ Inv. Cl. 12358
Don Rothschild, collection Strauss nᵒ 140

Le pot à panse renflée est décoré d'un cartouche camaïeu
bleu dans lequel se trouvent les lettres ק״מ : KM.
Il s'agit probablement d'un cadeau de mariage et les deux
lettres seraient les initiales des noms de la mariée et du marié.
Le col est décoré d'une frise, camaïeu bleu.
Marque de fabrique R.

168

169
Pomander

Allemagne, fin 16ᵉ siècle
Argent, partiellement doré
Haut. 6 cm; diam. 3,3 cm
Nᵒ Inv. Cl. 12521
Don Rothschild, 1891

Une sphère ouvrant à charnières en huit quartiers pose sur
un pied circulaire. Les quartiers fermés par des glissières
servent de réserve aux épices. Ils sont maintenus contre
l'axe par un dôme vissé. L'objet est décoré à l'extérieur et
à l'intérieur d'une gravure à décor végétal et gravé d'un
monogramme M.I.S.
Le dessous du pied est percé à jours. En le dévissant, on
découvre une minuscule cuiller, qui devait servir à prélever
les aromates.
Chaque glissière est gravée du nom d'une épice :

1 - Canel
2 - Moscat
3 - Rosmarin
4 - Schlag
5 - Negelken
6 - Rufen
7 - Citronen
8 - a disparu.
Cet objet n'a pas de caractère liturgique juif.

Bibliographie : Un objet très semblable se trouvait dans la
collection Saly Füth, Mayence et a été reproduit dans *Mittei-lungen*, III-IV, p. 54.

169

170
Pomander

Allemagne (?), 18e siècle
Argent
Haut. 5,7 cm; diam. 2,5 cm
No Inv. Cl. 12531
Acquis en 1891.

Pendeloque piriforme décorée au repoussé de fleurs en
relief, ouvrant à charnières en quatre quartiers, qui sont
maintenus contre l'axe par un dôme vissé. Les quartiers
servant de réserve aux épices, et sont fermés par des glissières.
L'axe se termine en haut par une bélière et en bas par un
bouton allongé.
Cet objet n'a pas de caractère liturgique juif.

171
Récipient à couleurs

Iran, 18e-19e siècle
Argent partiellement doré, serti de verroteries
Haut. 9,7 cm; diam. 10,2 cm
No Inv. Cl. 12256
Don Rothschild, collection Strauss no 23

Le récipient posant sur quatre pieds, comporte quatre
compartiments fermés par des couvercles, dont le dessus
revêt la forme d'une fleur à quatre pétales, retenus au
centre par une vis dont le haut est en forme de pistil.
Cet objet a pu servir pour contenir des aromates, mais il
sert normalement aux couleurs des peintres à miniatures.

170

171

172
Salière-poivrière

Saragosse (Espagne), 16e siècle
Argent doré
Haut. 10,3 cm; diam. 7,3 cm
No Inv. Cl. 12341
Don Rothschild, collection Strauss no 129

La salière de forme cylindrique posant sur trois pieds en
forme de buste de femme est décorée de rinceaux et de
rubans en réserve. A l'intérieur du couvercle, posant également sur trois figurines semblables, est ménagé un réservoir
destiné au poivre et se terminant par une saupoudreuse.
Sa base est gravée d'une rosace.
Poinçon : Saragosse, 16e siècle.
Il ne peut s'agir d'un objet rituel juif, car celui-ci est posté-
rieur à l'expulsion des Juifs d'Espagne en 1492.

173
Petit vase

Allemagne, 1567
Argent gravé, partiellement doré
Haut. 4,4 cm; diam. du pied 3,8 cm
No Inv. Cl. 12363
Don Rothschild, collection Strauss no 146
Petit vase à anse.
Le couvercle à charnière est gravé de deux écussons armo-
riés et de la date : 1567.
Il est décoré de volutes en réserve sur fond amati (peau de
serpent). Il est muni d'un bec verseur. Des deux côtés, un
cœur doré sert de support à l'anse qui est percée en haut
afin de recevoir un crochet. Il semble donc que cet objet
faisait partie d'un ensemble auquel il était accroché. Rien
n'indique que cet objet aurait servi au culte juif.

172

173

Objets
de la collection
Strauss
n'ayant aucun lien
avec le culte juif

174
Moïse

15ᵉ siècle
Pierre
H. 0,36 m
Nᵒ Inv. Cl. 12355

Don Rothschild, collection Strauss nᵒ 137
Moïse debout tient ouvertes devant lui les Tables de la Loi
et semble sortir des nuées en forme de chapiteau.

175
Moïse

19ᵉ siècle
Bronze
H. 0,37 m
Nᵒ Inv. Cl. 12335
Don Rothschild, collection Strauss nᵒ 123

Moïse debout portant sous le bras gauche les Tables de la
Loi, la main droite abaissée, revêtu d'une longue robe
cachée en partie par un manteau.

174

175

176

176
Aaron

19e siècle
Bronze
H. 0,47 m
No Inv. Cl. 12330
Don Rothschild, collection Strauss no 118

Aaron debout portant à bout de bras un encensoir en cuivre qui n'est pas d'origine, revêtu des vêtements du Grand Prêtre.

177
Bas-relief

Italie, 19e siècle
Ivoire
H. 0,19 m ; larg. 0,12 m
No Inv. Cl. 12301
Don Rothschild, collection Strauss no 89

Plaquette de forme demi-circulaire avec Moïse à gauche, et Aaron à droite appuyant leurs bras sur les Tables de la Loi ouverte. Entre les deux têtes, les rayons du soleil apparaissent dans une nuée. Cadre de bois doré avec soubassement. Sur les Tables, les deux premiers mots de chacun des dix commandements et dans le soleil rayonnant le tétragramme. L'inscription indique qu'il ne peut s'agir d'un objet juif.

178-179-180
Trois fauteuils en forme d'X, dits « perroquets »

Italie, 16e ou 17e siècle
Bois
H. 0,75 m ; larg. 0,65 m
No Inv. Cl. 12351 a, b et c
Don Rothschild, collection Strauss no 131

Bibliographie : Catalogue *Bois* nos 586, 587 et 588.

181-182
Deux porte-cierges

Italie, 18e siècle
Bois
H. 2,45 m
No Inv. Cl. 12240 a et b
Don Rothschild, collection Strauss no 4

Sculptés en haut-relief peints et dorés. La tige est décorée d'une spirale de feuillages, portée par une colonne à cannelures et couronnée par un chapiteau rectangulaire avec large plateau et broche.

Bibliographie : Catalogue *Bois* nos 453 et 454.

177

178

181-182

Glossaire

Achkenaze
Milieu culturel juif qui s'étend du Nord de la France à l'Oural. Après l'expulsion des Juifs de France en 1394, ce terme désigne surtout les communautés de langue allemande.

Aron Kodesh
Arche sainte. Armoire dans laquelle sont conservés les rouleaux de la Thora.

Bessamim
(aromates) Les bessamim servent pendant la prière de Havdala.

Haggada
Rituel de la liturgie pour la veillée pascale.

Havdala
Prière de clôture du Sabbat et des jours de fête.

Haphtarot (pluriel de haphtara ; traduction littérale : clôture)
Passages des Prophètes lus après la lecture de la Thora.

Hosana Rabba
Dernier jour de la fête des Cabanes.

Keter
Couronne.

Ketouba
Acte de mariage garantissant les droits de la femme.

Kiddoush
Prière de sanctification du Sabbat et des jours de fête.

Loulab (branche de palmier)
Sert pour la prière de la fête des Cabanes.

Mahzor (litt. cycle)
Recueil de prières pour les fêtes de toute l'année.

Mappa
Bandelette ou nappe.

Matsa (pain azyme)
Pain sans levure que mangent les Juifs à Pâque.

Méguilla (litt. rouleau)
La Méguilla désigne plus particulièrement le Livre d'Esther.

Me'il
Manteau.

Menora (luminaire)
Chandelier à sept branches, qui se trouvait au Temple de Jérusalem.

Mishna
Loi orale. Commentaires bibliques transmis oralement, réunis et rédigés par R. Juda le Prince. (2e moitié du IIe siècle.)

Midrash
Ensemble de commentaires allégoriques sur la Bible.

Mezouza
Passage biblique calligraphié sur un rouleau de parchemin, que l'on fixe aux poteaux de la maison.

Parokhet
Rideau placé devant l'arche sainte.

Pessah
La Pâque juive.

Pirké Abot
Traité des Pères. Traité de morale faisant partie de la Mishna.

Pourim
Fête qui commémore le sauvetage des communautés juives de l'empire perse, au temps d'Esther et de Mardochée.

Rimonim (pluriel de rimone, grenade)
Ornements posés sur les axes qui supportent le rouleau de la Thora.

Rosh ha-Shana
Nouvel An juif.

Séder (ordre)
Veillée pascale.

Séfarade
Milieu culturel juif méditerranéen (Séfarade, Espagne).

Shamash (serviteur)
Godet qui sert à allumer et à accompagner les lumières de la lampe de Hanouca.

Shofar
Corne de bélier que l'on sonne surtout pendant les offices de la fête de Rosh ha-Shana.

Siddour
Livre de prières journalières.

Talith
Châle de prières.

Talmud (litt. enseignement)
Désigne la Loi Orale (Mishna), ainsi que les commentaires qu'elle a suscités dans les académies de Palestine (Talmud de Jérusalem) et de Babylone (Talmud de Babylone).

Tass
Plaque décorative destinée au rouleau de la Thora.

Téfiline
Phylactères. Cubes renfermant quatre chapitres du Pentateuque que le Juif revêt pendant la prière.

Thora (enseignement)
Le Pentateuque.

Tiq
Coffret pour rouleau de la Thora.

Yad
Main indicatrice, permettant de suivre la lecture de la Thora.

Yom Kippour
Jour du Grand Pardon, fête la plus solennelle du calendrier juif.

Donations et acquisitions

Don de la baronne Nathaniel de Rothschild, collection Strauss, 1890
n°s 1, 4, 5, 6, 7, 10, 11, 12, 13, 14, 15, 16, 17, 18, 19, 21, 22, 23, 25, 26, 27, 28, 30, 31, 32, 33, 34, 36, 37, 38, 39, 40, 42, 43, 44, 45, 46, 47, 48, 49, 50, 51, 52, 53, 54, 55, 56, 57, 58, 59, 60, 62, 63, 64, 70, 71, 72, 73, 74, 76, 78, 79, 81, 86, 89, 90, 91, 92, 93, 94, 95, 96, 97, 98, 99, 100, 101, 102, 103, 104, 105, 106, 107, 108, 109, 110, 111, 112, 113, 116, 117, 118, 119, 122, 123, 124, 125, 126, 127, 128, 129, 130, 131, 132, 133, 134, 136, 137, 138, 139, 140, 141, 142, 143, 145, 146, 147, 148, 149, 150, 151, 152, 153, 154, 155, 156, 157, 158, 159, 160, 161, 162, 163, 164, 165, 166, 167, 168, 171, 172, 173, 174, 175, 176, 177, 178, 179, 180, 181, 182

Don Rothschild, 1891
n° 169

Acquisitions de 1891
n°s 8, 170

Don Goldschmidt, 1893
n°s 2, 3, 9

Don Alphonse de Rothschild, 1893
n° 87

Don Bloche, 1894
n° 80

Don Rodolphe Kann, 1900
n° 29

Don Hart-Derembourg, 1908
n° 77

Don Camondo, 1910
n°s 75, 120

Don Camondo, 1911
n°s 20, 121

Don Camondo, 1912
n°s 83, 84, 135

Don Rectlinger, 1915
n° 61

Legs Hillet-Monoach, 1922
n° 24

Don Salomon de Rothschild, 1923
n° 41

Acquisition de 1923
n° 35

Don Abram, 1926
n° 88

Don Camondo, 1930
n°s 82, 85

Don Luville, 1933
n°s 65, 66, 67, 68, 69

Don Luville, 1934
n°s 114, 115

Expositions

Objets de la collection juive du musée de Cluny ayant figuré
dans différentes expositions.

Synagoga. Städtische Kunsthalle, Recklinghausen.
3 novembre 1960-15 janvier 1961.
n°s 1, 10, 11, 12, 13, 14, 15, 16, 17, 18, 19, 21, 22, 23, 25,
26, 27, 31, 32, 33, 34, 36, 38, 39, 40, 42, 43, 44, 45, 46, 47,
49, 50, 51, 52, 53, 55, 56, 57, 64, 70, 72, 73, 78, 81, 89, 93,
94, 95, 96, 97, 99, 100, 101, 105, 106, 107, 108, 109, 111,
112, 113, 125, 126, 127, 128, 129, 130, 133, 137, 138, 149,
150, 151, 152, 153, 154, 155, 156, 158, 159, 160, 161, 162,
163, 164, 165.

Synagoga. Historisches Museum, Frankfurt-am-Main.
17 mai-16 juillet 1961.
n°s 1, 11, 12, 14, 19, 26, 39, 56, 64, 70, 89, 94, 97, 99, 100,
111, 112, 125, 145, 147, 150, 155, 164, 165.

Monumenta Judaica. 2000 Jahre Geschichte und Kultur der
Juden am Rhein. Köln. 15 octobre 1963-15 février 1964.
n°s 17, 23, 26, 27, 38, 51, 52, 53, 54, 64, 66, 67, 68, 69, 70,
82, 85, 87, 88, 89, 97, 100, 101, 111, 112, 125, 145, 150, 158,
159, 160, 161.

Israël à travers les Ages. Petit Palais, Paris.
Mai-septembre 1968.
n°s 26, 35, 36, 37, 38, 39, 40, 44, 45, 47, 48, 51, 70, 81, 88,
94, 123, 124, 125, 145, 149, 150.

Religions populaires. Musée des Arts et Traditions populaires, Paris. 15 novembre 1979-21 mars 1980.
n°s 66, 67, 68, 69, 88, 119.

Table de concordance

numéro inventaire Cluny	numéro catalogue Strauss, 1878	numéro catalogue Klagsbald	numéro inventaire Cluny	numéro catalogue Strauss, 1878	numéro catalogue Klagsbald
12.237	1	123	12.281	53	44
12.238	2	124	12.282	54	48
12.239	3	125	12.283	55	49
12.240 a et b	4	181-182	12.284 a et b	56-57	42-43
12.241	5	26	12.285 a et b	58-59	45-46
12.242	6	23	12.286	60	50
12.243	7	25	12.287 a-b-c	61-62-63	51-52-53
12.244	9	21	12.288	64	110
12.245	10	22	12.289 a	65	109
12.246	11	19	12.289 b	66	105
12.247	13	18	12.289 c	67	107
12.248	14	17	12.289 d	68	108
12.249	15	94	12.289 e	69	106
12.250	144	139	12.290	70	28
12.251	18	95	12.291	71	34
12.252	19	99	12.292	72	33
12.253	20	101	12.293	73	32
12.254	21	100	12.294	74	56
12.255	22	96	12.295	75	57
12.256	23	171	12.296 a	76	72
12.257	24	92	12.296 b	77	76
12.258	25	126	12.296 c	78	71
12.259	26	145	12.296 d	79	74
12.260	27	149	12.296 e	80	73
12.261	28	146	12.297	81	133
12.262	30	147	12.298	82	134
12.263	149	78	12.299	84	5
12.264	32	155	12.300	85	113
12.265	33	154	12.301	89	177
12.266	34	151	12.302	90	54
12.267	35	156	12.303	91	10
12.268	36	152	12.304 a et b	92	142-143
12.269	37	153	12.305	93	86
12.270	40	138	12.306	94	91
12.271 a et b	41	140-141	12.307	95	40
12.272	42	89	12.308	96	47
12.273	44	16	12.309	97	90
12.274	45	11	12.310	98	137
12.275	46	14	12.311	100	55
12.276	47	81	12.312	101	1
12.277	49	36	12.313	101	63
12.278	50	37	12.314	101	60
12.279	51	38	12.315	101	6
12.280	52	39	12.316	101	4

numéro inventaire Cluny	numéro catalogue Strauss, 1878	numéro catalogue Klagsbald	numéro inventaire Cluny	numéro catalogue Strauss, 1878	numéro catalogue Klagsbald
12.317	102	164	12.366	147	103
12.318	103	64	12.367	148	136
12.319	104	97	12.368	134	70
12.320	105	93	12.369	135	131
12.321	107	116	12.481		8
12.322	108	7	12.521		169
12.323	109	12	12.531		170
12.324	110	129	12.974		87
12.325	111	128	13.083		9
12.326	112	15	13.084		2
12.327	113	167	13.085		3
12.328	116	148	13.107		80
12.329	117	165	13.995		29
12.330	118	176	17.503		77
12.331	119	122	18.302		120
12.332	120	58	18.303		121
12.333	121	62	18.304		20
12.334	122	150	18.305		75
12.335	123	175	18.800		135
12.336	124	127	18.801		84
12.337	125	130	18.802		83
12.338	126	158-159-160-161	20.097		61
12.339 a et b	127	111-112	20.244	17	98
12.340	128	157	20.369		24
12.341	129	172	20.658		35
12.351	131	178-179-180	20.692		41
12.352	132	27	21.113		88
12.353 a et b	133	162-163	21.526		85
12.354 a	136	118	21.527		82
12.354 b	136	119	21.685		66
12.354 c	136	117	21.686		67
12.355	137	174	21.687		68
12.356	138	166	21.688		69
12.357	139	79	21.689		65
12.358	140	168	21.898		114
12.359	141	31	21.899		115
12.360	142	132	21.900		59
12.361	143	13	22.889	31	144
12.362	145	30			
12.363	146	173			
12.364	147	102			
12.365	147	104			

Numéros de catalogue Strauss correspondant à des objets qui n'ont pas été donnés par la baronne Nathaniel de Rothschild en 1890 :
8, 12, 16, 29, 38, 39, 43, 48, 83, 86, 87, 88, 99, 106, 114, 115, 130.

Lieux de provenance

Afrique du Nord
nos 79, 81, 117, 118, 119.

Allemagne
nos 16, 24, 26, 28, 33, 38, 54, 59, 60, 61, 64 70, 89, 93, 95, 97, 100, 101, 104, 140, 141, 145, 156, 164, 167, 168, 169, 170, 173.

Autriche
nos 23, 94, 125, 126, 138, 139, 146, 152, 155.

Espagne
nos 87, 102, 172.

Europe
nos 13, 14, 15, 25, 65, 85, 147, 148, 153, 154.

France
nos 17, 28, 63, 66, 67, 68, 69, 82, 88, 96, 103, 114, 115, 151.

Hollande
nos 12, 31, 32, 77, 116, 150.

Iran
no 171.

Israël
no 90.

Italie
nos 2, 3, 5, 7, 8, 9, 10, 11, 18, 19, 20, 21, 22, 27, 29, 30, 34, 35, 36, 37, 39, 40, 41, 42, 43, 44, 45, 46, 47, 48, 49, 50, 51, 52, 53, 55, 56, 57, 58, 71, 72, 73, 74, 75, 76, 78, 80, 83, 84, 86, 109, 110, 113, 122, 123, 124, 127, 128, 129, 130, 133, 134, 137, 144, 158, 159, 160, 161, 162, 163, 175, 177, 178, 179, 180, 181, 182.

Pologne
no 149.

Proche-Orient
no 120.

Turquie
nos 1, 121, 135, 165.

Indéterminé
nos 4, 6, 62, 91, 92, 98, 99, 105, 106, 107, 108, 111, 112, 131, 132, 136, 142, 143, 157, 166, 174, 176.

Index iconographique

Bibliographie

Barnett
Barnett (Richard D.), *Catalogue of the Jewish Museum,* London, 1974.

Bialer
Bialer (Yehuda Leib), *Jewish life in Art and Tradition,* Londres-Jérusalem, 1976.

Bodenschatz (Johann, Christoph, Georg), *Kirchliche Verfassung der heutigen Juden,* Francfort et Leipzig, 1749, 2 vols.

Cantera
Cantera (F.) - Millas (J.Ma.), *Los Inscripciones Hebraicas de Espana,* Madrid, 1956.

Ernst Cohn-Wiener
Cohn-Wiener (Ernst), *Die Jüdische Kunst,* Berlin, 1929.

Davidson
Davidson (I.), *Thesaurus of mediaeval hebrew poetry,* New York, 1924, 4 vols.

Dietz
Dietz (Dr. A.), *Stammbuch der Frankfurter Juden,* Francfort-sur-le-Main, 1907.

Enc. Jud.
Encyclopaedia Judaica, Jérusalem, 1972.

Friedenberg
Friedenberg (Daniel M.), *Jewish Medals, The Jewish Museum,* New York, 1970.

Gans
Gans (Mozes Heiman), *Memorboek,* Baarn.

Helft
Helft (Jacques), *Le poinçon des Provinces Françaises,* Paris, F. de Nobele, 1968.

Kayser
Kayser (Stephen S.), *Jewish Ceremonial Art,* Philadelphia, 5715-1955.

Mitteilungen
Mitteilungen der Gesellschaft zur Erforschung jüdischer Kunstdenkmäler, I-VIII, Francfort-sur-le-Main, 1900-1915, édité par Frauberger (Heinrich).

Narkiss
Narkiss (Mordekhai), *The Hannukkah Lamp,* Jérusalem, 1939 (hébreu).

Reitzner
Reitzner (Victor), *Alt-Wien Lexikon für österreichische u. Süddeutsche Kunst und Kunstgewerbe,* Vienne, 1952.

Rosenberg
Rosenberg (Marc), *Der Goldschmiede Merkzeichen,* Francfort-sur-le-Main et Berlin, 1922-1928.

Shahar
Shahar (Yeshaya Dr.), *La collection Feuchtwanger,* Musée d'Israël, Jérusalem, 1971.

Stern
Stern (Dr. Moritz), *Aus dem Berliner jüdischen Museum,* Berlin, 1937.

Schwab (Moïse), *Vocabulaire de l'Angélologie,* Paris, 1897.

Monumenta Judaica, 2000 Jahre Geschichte und Kultur der Juden am Rhein. Kölnisches Stadt-Museum 15 octobre 1963-15 février 1964, 2 vols, édité par Konrad Schilling.

La Vie Juive au Maroc (hébreu), catalogue n° 103 du Musée d'Israël, Jérusalem, 1973.

Stenne (Georges), *Collection de M. Strauss, Description des Objets d'Art religieux hébraïques, exposés dans les Galeries du Trocadéro, à l'Exposition universelle de 1878,* Poissy 1878.

Synagoga I, Kultgeräte und Kunstwerke, Städtische Kunsthalle Recklinghausen, 3 novembre 1960-15 janvier 1961.

Synagoga II, Jüdische Altertümer... Historisches Museum, Francfort-sur-le-Main, 17 mai-16 juillet 1961.

The Jewish Wedding, Yeshiva University, New York, octobre 1977 (Rabbin Shlomo Pappenheim).

Table des matières

Photos
Adant Hélène, Paris
        7, 10-13, 16, 18-19, 21-23, 31-34, 36-40, 45-53, 55, 70-
        74, 76, 78, 81, 86, 89, 93, 95-96, 100-101, 105-111, 113,
        117-119, 127-129, 131, 133, 137, 140-143, 146-149,
        151-154, 158, 160, 162-168, 172.
Bibliothèque nationale, Paris
        2 (Introduction)
Réunion des musées nationaux, Paris
        toutes les autres photos

Vignettes
« Livre de Coutumes », Amsterdam, s.d. (1662)
        pages 27, 30, 43, 54, 59, 62, 76, 89, 118.
Rothschild : « Miscellany », Musée Israël, Jérusalem
        page 38.

Maquette
Bruno Pfäffli

Photogravure couleur
Haudressy, Paris

Composition et impression
Blanchard, Le Plessis-Robinson

ISBN 2.7118.0187.X